Jean-Claude KLOTCHKOFF

FLORENCE

et la Toscane

*« En fait , les Florentins inventèrent la Renaissance,
ce qui revient à dire qu'ils inventèrent le monde moderne. »*
Mary McCarthy, Pierres de Florence.

EDITIONS MARCUS

25, rue Ginoux
75015 Paris
Tél. 01 45 77 04 04

Jean-Claude Klotchkoff, écrivain et journaliste, est l'auteur de plusieurs guides parus aux éditions du Jaguar et aux éditions Marcus. Parmi ceux-ci, citons le Portugal, l'Autriche et Rome.

L'auteur remercie les éditions Polyglott Verlag de Münich pour les cartes, plans et vignettes.

© 1999 Éditions Marcus, Paris
Dépôt légal : Juillet 1999
ISBN 2-7131-0170-0
ISSN 0554-3401

Le dôme de Santa Maria Del Fiore, au cœur de Florence, domine toute la ville

FLORENCE, TERRE DES ARTS

Florence, où naquit et s'épanouit au XVᵉ siècle la Renaissance, avant d'aller se répandre dans toute l'Europe, reste, tout entière, le plus éblouissant témoignage de cette époque où tous les arts atteignirent des sommets. Pas une rue, pas une place, pas une rive de l'Arno qui ne soit dominée par la somptueuse architecture d'un palais, d'une église ou d'un cloître. De-ci de-là, le regard est sans cesse attiré par les vestiges d'une fresque aux couleurs pâlissantes, par des statues ou des bas-reliefs, refuges préférés des pigeons et des chats de la cité.

Et quel émerveillement lorsqu'on pousse la porte des palais : des génies de la peinture, comme Botticelli, Fra Angelico, Vinci, Michel-Ange, y ont peint leurs œuvres majeures, devenues depuis lors le point de mire de tous les esthètes et amateurs d'art du monde entier. Parcourant les couloirs frais et sombres du Couvent San Marco, par exemple, rares sont les visiteurs qui ne tombent sous le coup de l'émotion et du ravissement en pénétrant dans les cellules, comme autant de cavernes, où les fresques de Fra Angelico illuminent les murs.

Mais Florence n'est surtout pas une ville-musée abandonnée par ses habitants pour être livrée aux touristes. Elle est au contraire très vivante car elle est restée le principal centre de décision de la Toscane, province où le commerce, l'artisanat, l'industrie et l'agriculture, en particulier les vignobles du Chianti, sont très actifs.

Entre deux concerts et deux visites de musées florentins, on gagnera la campagne toscane et ses vertes collines, dont les plus grands peintres ont souvent fait le décor de leurs toiles. Un terroir encore intact, où les belles demeures patriciennes, les villas, ponctuent un paysage riant et intimiste, traversé par de belles rivières et souvent envahi par les vignobles. Quelques stations balnéaires sur la côte tyrrhénienne permettent d'agrémenter un séjour estival ou printanier, tout en prenant le chemin des écoliers et en faisant mille crochets pour aller visiter une nécropole étrusque ou une cité historique comme Sienne, Volterra, Arezzo ou Pise.

3

Géographie

A mi-chemin de Milan, au nord, et de Rome, au centre de l'Italie, Florence (Firenze) est la capitale de la Toscane, une des vingt régions de la Péninsule. Comprise entre le 42e et le 44e parallèle et les 9e et 12e méridiens, la Toscane est bordée au nord par les régions de Ligurie et d'Émilie-Romagne, à l'est par les Marches, au sud par l'Ombrie et le Latium. Son éloignement de la côte (plus de 80 km de Pise) explique l'acharnement de Florence au cours des siècles à chercher un débouché sur la mer en prenant Pise et en cherchant à devenir l'égale des républiques maritimes de Gênes ou de Venise. Ses célèbres collines, qui forment le décor de la plupart des peintures de la Renaissance, appartiennent à la longue cordillère des Apennins. Formant l'épine dorsale de toute l'Italie, de Gênes jusqu'à la Calabre, les Apennins sont de formation récente (ère tertiaire) et très compartimentés. Leur partie nord forme les Apennins Ligures qui se prolongent par les Apennins Toscans-émiliens, culminant au mont Cimone (2 163 m). D'un relief très complexe, cette chaîne s'étale et se dédouble en Toscane et en Ombrie, région se trouvant dans la partie la plus large de la botte italienne. Dans la seule Toscane, la majorité du territoire est occupée par ces hauts reliefs qui, outre les Apennins, comprennent de petites chaînes comme les Alpes Apuanes (Carrare), les monts du Chianti, les Collines Métallifères (à l'ouest de Sienne), les monts Pratomagno (au nord d'Arezzo) Ce relief posa longtemps d'importants problèmes de communication entre les régions d'Italie et explique, de ce fait, l'isolement et le morcellement de la Péninsule en Cités-États, Duchés, Principats au cours des siècles. L'unité politique s'est effectuée très tard, au siècle dernier, et n'a pas effacé les particularismes régionaux, notamment en Toscane. Deux petites plaines côtières s'insèrent entre les montagnes : la vallée de l'Arno autour de Pise et la Maremme, au sud de la Toscane et de Grosseto. La jeunesse du sous-sol toscan explique la faible importance de ses richesses minières, mais la région possède quand même de belles carrières de marbre à Carrare, du mercure et du minerai de fer (île d'Elbe).

Sur le versant des Apennins tourné vers la Méditerranée et la mer Tyrrhé-

nienne, le réseau hydrographique est plus développé que sur la face adriatique. En Toscane coulent ainsi plusieurs petits fleuves, dont le plus important est l'Arno (241 km), passant par Florence et Pise ; il est suivi par l'Ombrone (161 km), au sud de Sienne et de Grosseto.

Entre la Corse et la côte toscane se développe tout un petit archipel, dont la plus grande île est Elbe. Il compte également les îlots de Gorgona (en face de Livourne), Capraia (au nord de l'île d'Elbe), Pianosa et Montecristo, au sud, et enfin l'île del Giglio, proche de la presqu'île d'Orbetello.

Florence est aujourd'hui le chef-lieu de la région de Toscane. Elle fut autrefois sous les Médicis et les Lorraine la capitale du Grand Duché de Toscane ; sous Napoléon Ier, la capitale du Royaume d'Étrurie, et sous Victor-Emmanuel II, pendant quelques années, la capitale du Royaume d'Italie. Par la taille (22 992 km^2), la Toscane est la cinquième des vingt régions que compte l'Italie (301 000 km^2) après la Sicile (25 708 km^2), le Piémont (25 399 km^2), la Sardaigne (24 090 km^2) et la Lombardie (23 850 km^2). Outre la province de Florence, la région de Toscane est découpée administrativement en huit autres provinces :

Arezzo, Grosseto, Livourne, Lucques, Massa-Carrara, Pise, Pistoia et Sienne.

Population

Par le nombre d'habitants (3,6 millions), la Toscane est la huitième des vingt régions que compte l'Italie, derrière la Lombardie (9 millions d'hab.), la Campanie (5 millions), le Latium (5 millions), la Sicile (4,8 millions), le Piémont (4,6 millions), la Vénétie (4,3 millions) et l'Émilie-Romagne (4 millions). (Au total, l'Italie compte plus de 57 millions d'habitants.) Quant à Florence, elle est la huitième ville d'Italie par le nombre d'habitants (plus de 450 000), après Rome (2,83 millions), Milan (1,64 million), Naples (1,2 million), Turin (1,10 million), Gênes (760 000), Palerme (700 000) et Bologne (455 000).

A l'intérieur de la Toscane, les principales villes sont Florence et sa conurbation Prato (450 000 hab.), Livourne (180 000 hab.), Pise (100 000), Sienne (95 000), Lucques (90 000), Pistoia (90 000), Arezzo (78 000), Grosseto (70 000), Massa (56 000), Volterra (20 000).

Évolution historique de Florence

Ce sont les Romains qui ont décidé du destin de Florence en préférant installer leur camp près de l'Arno (en 59 av J.-C.) plutôt que sur les collines où les Étrusques avaient déjà fondé Fiesole. Ce camp primitif apparaît encore aujourd'hui dans le plan du centre-ville, entre la Basilique et la Seigneurie. Par la suite, Florence a continué à se développer sur cette rive droite de l'Arno où avait campé César. Au Moyen Age, l'enceinte communale de remparts déborda l'Arno et s'étendit sur la rive gauche (XIIe siècle). Elle fut fortifiée au siècle suivant. Au XIVe siècle, une nouvelle enceinte communale déborda largement la première : elle suivait le dessin de l'actuelle rocade qui forme un arc de cercle à partir des ponts ouest (della Vittoria) et est (S. Nicolo), en passant au pied de la Fortezza da Basso (qui ne sera construite qu'au XVIe siècle). Elle épousait ainsi le tracé des avenues actuelles : Viale Fratelli Rosselli, puis Via Spartaco Lavagnani, Via Giacomo Matteotti, Via A. Gramsci et enfin Via Giovanni Amendola.

Le périmètre de cette 2e enceinte (aujourd'hui disparue) est digne d'attention pour le visiteur et pour tous ceux

qui s'intéressent à Florence : tous les édifices d'un quelconque intérêt ont été bâtis à l'intérieur à la fin du Moyen Age et pendant la Renaissance. Au Moyen Age, Florence arriva au sommet de sa démographie : elle comptait environ 150 000 habitants. Puis vinrent les pestes, en particulier celle de 1348, qui décimèrent tellement sa population qu'il fallut atteindre la fin du XIXe siècle pour qu'elle dépasse à nouveau ce cap des 150 000 habitants ! Avec la Révolution Industrielle, Florence et sa région connurent le phénomène de l'exode rural qui vida la campagne pour grossir les villes. La Cité des Médicis s'accrut à un rythme spectaculaire, passant de 170 000 habitants vers 1880 à plus de 250 000 entre les deux dernières guerres mondiales, pour grimper à plus de 450 000 aujourd'hui. Bien qu'elle compte d'innombrables vestiges de la Renaissance, époque splendide où elle fut le phare de toute l'Europe, Florence n'est pas un décor, mais une ville très vivante qui s'est beaucoup industrialisée ces dernières décennies : elle forme une conurbation avec **Prato** (160 000 habitants) qui est sa banlieue industrielle et la résidence de la plupart des salariés travaillant dans son périmètre.

Climat

Étant proche de la mer et à la latitude de Monaco, Florence jouit d'un climat tempéré et agréable en toutes saisons. Néanmoins, il arrive qu'il fasse très chaud l'été (28 à 29 oC) et qu'il pleuve beaucoup en mars et en avril. La meilleure saison serait donc l'automne, suivi du printemps.

Températures moyennes		
	mini	maxi
Janv.	4 oC	9 oC
Fév.	4 oC	11 oC
Mars	6 oC	15 oC
Avr.	9 oC	18 oC
Mai	13 oC	23 oC
Juin	16 oC	28 oC
Juil.	19 oC	31 oC
Août	19 oC	30 oC
Sept.	16 oC	26 oC
Oct.	11 oC	20 oC
Nov.	10 oC	15 oC
Déc.	6 oC	11 oC

Religion

La quasi-totalité des Toscans sont de confession catholique romaine, dans une région où les édifices religieux sont souvent les plus beaux fleurons de l'art et l'architecture locale. La Toscane s'enorgueillit d'avoir vu St Pierre débarquer sur ses côtes (à San Piero a Grado, près de Pise) pour se rendre à Rome et y fonder l'Église. Au Moyen Age, Florence sera le théâtre de la rencontre de St François d'Assise et de St Dominique, qui y fonderont des monastères, tandis que Sienne sera la patrie de Sainte Catherine (1347-80). Plusieurs conciles auront lieu à Florence qui a été, pour un bref laps de temps, la résidence du Pape ; la cité donnera également naissance à plusieurs de ces souverains pontifes (beaucoup appartiendront à la famille des Médicis).

Économie

Bien qu'appartenant au nord de l'Italie, partie la plus développée économiquement de la Péninsule, la Toscane n'est pas aussi riche que le Piémont ou la Lombardie. Ses hauts-reliefs (les Apennins) ont été longtemps un obstacle au développement des communications avec le reste du pays et un frein à la culture intensive des céréales, blé, riz (qui trouvent de vastes

terrains plus propices avec la riche plaine alluvionnaire du Pô, au nord-est). Son littoral sablonneux rend l'aménagement d'un grand port difficile : plusieurs fois dans l'histoire, il fallut abandonner les ports proches de Pise en raison de leur ensablement cyclique. Par ailleurs, la proximité de Gênes, premier port d'Italie, oblige ceux comme Livourne (en Toscane) à jouer un rôle secondaire.

Néanmoins, la Toscane jouit d'une certaine prospérité qu'elle tire à la fois de l'exploitation minière, de l'agriculture et de l'élevage, de l'industrie et de l'artisanat, des services et du tourisme. Connues depuis l'Antiquité, les mines de l'île d'Elbe et de la région de Grosseto continuent à être exploitées ; elles produisent du fer (Elbe), de la pyrite (Mt Argentario) ainsi que du magnésium, du manganèse, du bore (Larderello) et du plomb. Les célèbres carrières de marbre de Carrare trouvent des clients jusqu'au USA et dans les pays pétroliers du Moyen-Orient, ceux-ci se substituant aux Papes romains et aux Médicis de Florence. Grâce à l'énergie géothermique tirée des carrières de bore de Larderello, on peut alimenter des centrales électriques.

Héritée des temps anciens, la *coltura promiscua* trouve un terroir de prédilection sur les collines toscanes : c'est un mode de culture pratiqué dans des exploitations moyennes et associant les labours et les cultures arbustives. Ainsi la Toscane cultive-t-elle à la fois les céréales, les oliviers (huile d'olive) et surtout la vigne qui permet de produire 19 crus différents (la plupart sont des *Chiantis*, renommés dans le monde entier). Outre les cultures maraîchères, on y trouvera une floriculture en plein essor (les pépinières de ces plantes d'agrément se trouvent surtout dans la région de Pescia, entre Pistoia et Lucques). L'élevage, bovin et ovin, se pratique en montagne mais est déficitaire, comme dans toute l'Italie qui doit importer de la viande. La pêche en mer n'a pas atteint le même développement que dans la mer Adriatique ou en Sicile.

Les manufactures de laine et de soie assurèrent la prospérité de la Toscane aux temps des Médicis. Installé surtout à Prato, cette industrie textile, qui a évolué maintenant vers l'habillement et la production de tissus synthétiques, occupe toujours les premières places en Toscane, avec le travail du cuir (maroquinerie). Une raffinerie à Livourne, des usines sidérurgiques dans ce port et à Piombino amènent un important potentiel d'industries lourdes. La chimie (à Piombino), la construction mécanique (machines-outils, mécanique de précision dans la province de Florence) et l'agro-alimentaire s'ajoutent à un artisanat important (bijouterie, orfèvrerie, haute couture, etc.).

La Toscane n'est plus une grande place financière comme au temps des grands banquiers et marchands florentins, pisans, lucquois et siennois. Cependant, une nouvelle activité tertiaire s'est développée considérablement depuis plus d'un siècle : le tourisme qui génère des richesses profitant à un large pannel d'activités (hôtellerie-restauration, agences de voyages, transporteurs, artisans et commerces, secteur alimentaire, etc.).

La gaieté de la mort étrusque

« ... Car la ténèbre des Étrusques était un endroit gai. Pendant que les vivants festoyaient au-dehors, devant la tombe, le mort lui-même festoyait dans ces ténèbres avec une dame qui lui offrait des guirlandes et des esclaves qui lui versaient du vin. La vie sur terre était si douce, comment celle qui suit ne le serait-elle point ? Cette foi profonde en la vie, cette acceptation de la vie est bien la caractéristique des Étrusques et qui frappe dans les tombes peintes. Un certain rythme de joie dans les mouvements, même ceux des esclaves nus. Ce ne sont pas des subalternes avilis, quoi qu'en disent les Romains, mais des êtres débordants de vie... »

D.H. Lawrence, « Promenades étrusques », Gallimard.

L'Étrurie ou Tuscia, occupée par les Étrusques sous l'Antiquité, s'étendait au-delà de l'Italie centrale jusqu'à Rome. Le pays ne formait pas un État centralisé mais une confédération de 12 cités-états (la « dodécapole » ou les « Lucumones ») parmi lesquelles Tarquinia, Vulci et Veies, au nord de Rome, étaient les plus influentes. D'autres noyaux urbains vont se développer par la suite : Volterra, Clusium (Chiusi), Aretium (Arezzo), Faesola (Fiesole) et Pistoria (Pistoia). Du IXe siècle à la moitié du VIe siècle avant J.-C., c'est l'apogée de la civilisation étrusque qui étend sa puissance à Rome et au Latium tout en multipliant ses échanges commerciaux avec les Grecs et le Proche-Orient. La proclamation de la République romaine (509 avant J.-C.) et l'essor de Rome vont engendrer la décadence étrusque. Après de nombreux affrontements, l'Étrurie tombe vers 280 av. J.-C. avec la chute de Vulci, sous domination romaine.

217 av. J.-C. : malgré la victoire d'Hannibal contre les Romains près du lac Trasimène, les Carthaginois ne peuvent s'imposer en Italie. L'administration romaine s'organise : naissance des provinces d'Étrurie, Ombrie et Picenum.

180 av. J.-C. : Pisoe (Pise), colonie romaine.

177 av. J.-C. : fondation de Luca (Lucques), colonie romaine.

59 av. J.-C. : fondation sur le site de Florence d'un camp romain par César.

56 av. J.-C. : le 1er triumvirat romain (César, Crassus et Pompée) se réunit à Lucques.

395 apr. J.-C. : après le partage de l'Empire romain, nouvelles incursions barbares en Italie : une grande partie de la Toscane tombe aux mains des Goths.

476 : les Byzantins occupent presque toute la Toscane, suivis par les Lombards.

570 : les rois lombards font de Lucques la capitale de la Toscane.

774 : la Toscane forme le Duché de Toscane.

1068 : Lucques, qui commence à devenir prospère avec son industrie textile de luxe, devient une commune autonome et obtient de l'Empereur romain-germanique une charte de liberté en 1081. Début de la rivalité avec Pise.

1076-1115 : début de la querelle de l'investiture entre les partisans de l'Empereur (les Gibelins) et les partisans du Pape (les Guelfes) ; ce dernier n'accepte plus que les prélats soient choisis par l'Empereur. La comtesse Mathilde de Toscane essaie de réconcilier le Pape et l'Empereur à Canossa (1077). L'affrontement reprend lorsque l'Empereur ne peut pénétrer à Rome pour se faire couronner ; il assiège sans succès Florence, alliée du Pape (1082).

XIIe siècle : Age d'or de Pise qui participe avec une flotte puissante aux croisades : elle réussit à s'imposer en Méditerranée. Florence commence à annexer les villes et villages environnants. La prospérité croissante de la ville est due à son industrie textile (tissus de laine), l'une des plus importantes d'Europe entre les XIIIe et XVe siècles.

XIIIe siècle : les Guelfes contre les Gibelins : Florence est déchirée par la guerre civile. Les différentes cités-états de la Toscane se livrent en plus un combat acharné pour le pouvoir (Florence, Sienne, Pise, Lucques, Arezzo) ; finalement, c'est Florence qui remportera la victoire.

1252 : Florence crée sa propre monnaie, le Florin d'or, et l'impose par la puissance de son économie sur les grands marchés internationaux.

1282 : nouvelle constitution à Florence où les corporations et leurs représentants (les Prieurs) détiennent le pouvoir. Reconnaissance officielle des partis guelfes et gibelins. De très grosses compagnies commerciales se créent à Florence.

1346 : la faillite des grands banquiers florentins Bardi et Peruzzi provoque une crise économique, aggravée par une terrible épidémie de peste qui s'abat sur l'Italie en 1348 (sur Florence et Sienne en particulier). Florence, qui comptait près de 100 000 habitants, va voir sa population s'étioler brusquement et ne retrouvera ce nombre d'habitants qu'au... XIXe siècle !

XIVe siècle : Florence entre de nouveau dans une longue guerre intestine entre Blancs (ex-Gibelins) et Noirs (ex-Guelfes).

1393 : le Florentin Giovanni di Bicci de Medici fonde sa première compagnie commerciale. Début de la fortune des Médicis qui serviront longtemps de banquiers aux Papes.

XVe siècle (le Quattrocento) : la Renaissance.

1434 : début de la domination des Médicis. Côme de Médicis rentre à Florence et en devient le maître sans occuper de poste dans le gouvernement de la ville.

1494 : le Roi de France Charles VIII lance une grande campagne militaire en Italie pour prendre Naples ; au passage, il ampute la Toscane de plusieurs villes, provoquant la colère des Florentins à l'égard de Pierre de Médicis qui avait négocié avec lui. Les Médicis sont chassés de sa ville et leurs biens pillés, tandis que Charles VIII s'empare de Pise et entre en vainqueur à Florence. Après le départ des Français, Florence est gouvernée par le moine fanatique Girolamo Savonarole qui entendait créer une république divine. Ses excès le conduiront à être brûlé en 1498.

1530 : l'empereur Charles V nomme son gendre, Alexandre de Médicis, Duc de Florence.

1537-1574 : le successeur d'Alexandre, Côme I de Médicis, règne en monarque absolu et étend sa puissance à Sienne.

1569 : le Pape Paul V élève Côme I au rang de Grand-Duc de Toscane.

XVIIe siècle : Après la mort de Jean Gaston, dernier grand-duc de la famille Médicis, la famille de Lorraine, alliée à l'Autriche, reprend le grand-duché alors gouverné par François II.

1765 : Sous l'empereur autrichien Léopold, la Toscane vit une véritable prospérité économique et culturelle.

1796 : les Français occupent Livourne ; pour le retrait des troupes, la France percevra la somme d'un million de francs or.

1799 : nouvelle guerre entre la Toscane et la France qui envahit encore le duché en obligeant le Grand-Duc à laisser le pouvoir.

1801 : la Paix de Lunéville contraint l'Autriche à abandonner la Toscane en échange de laquelle elle reçoit Salzburg. Le Grand-Duché devient le Royaume d'Étrurie, créé par Napoléon Bonaparte et gouverné par son frère Louis, Duc de Parme et neveu de la Reine d'Espagne.

1807 : par le traité de Fontainebleau, le royaume d'Étrurie est rattaché à l'Empire français.

1809 : le royaume d'Étrurie devient le Grand-Duché de Toscane, et est offert par Napoléon à sa sœur Elisa Bacciocchi, ancienne princesse de Lucques.

1814 : à la chute de l'Empire français, Ferdinand III d'Autriche reprend le Grand-Duché qui s'attache à en améliorer l'équipement (les routes sont élargies, les marécages asséchés, le port de Livourne agrandi et l'art encouragé).

1849 : soulèvement des Italiens contre l'Autriche : l'Empereur d'Autriche fuit la Toscane. La République, qui ne durera que deux mois, est proclamée. Les Autrichiens reviennent et amnistient les opposants au régime.

1851-1860 : Concordat entre l'Autriche et Rome : les Autrichiens garantissent une liberté illimitée à l'Église. Les troupes autrichiennes occupent la Toscane.

1861 : Léopold d'Autriche s'enfuit. La Toscane est alors administrée par un commissaire du roi d'Italie Victor-Emmanuel II.

1865-1871 : Florence est la capitale de l'Italie. Le roi Victor Emmanuel II réside au Palais Pitti.

1870 : les troupes italiennes de Garibaldi occupent Rome proclamée capitale de l'Italie en 1871. La Toscane partage désormais le sort de l'Italie.

1946 : la République Italienne est proclamée.

1966 : la plus importante inondation de la région endommage Florence.

1985 : Année des Étrusques dans toute la Toscane : expositions à Florence, Fiesole, Volterra, Arezzo, Cortona, Sienne. Congrès international.

1993 : un attentat attribué à la mafia détruit une aile de la Galerie des Offices.

Les Étrusques

A partir des VIIIe et VIIe siècles avant notre ère apparaissent en Toscane les Étrusques, peuple original et raffiné qui tranche par rapport aux autres habitants de la région, plus primitifs. Ces marins et commerçants, qui vont dominer les échanges commerciaux entre l'Italie et les peuples de la Méditerranée, vivent dans de vraies villes où leurs maisons dotées de plusieurs chambres et d'un atrium servira de modèle aux Romains, quelques siècles plus tard. Peuple heureux de vivre, les Étrusques se sont adonnés aux plaisirs de la musique, de la danse et des banquets. Ils semblent assez insouciants de la mort, tout du moins dans les premiers siècles de leur apparition en Italie, car elle est perçue comme une seconde vie. Aussi ont-ils bâti pour les défunts de vastes nécropoles qui imitent à la fois leurs villes et leurs maisons (tout le mobilier est reproduit). Les plaisirs de l'existence sont surtout savourés par la noblesse qui domina les douze villes de la fédération étrusque et leur donna leurs dirigeants : les *lucumons* ; ceux-ci sont à la fois des rois, des chefs militaires et des personnages religieux et sacrés. Maîtrisant très bien l'art de la métallurgie et de l'orfèvrerie, ils ont fabriqué de beaux objets de bronze (à partir des minerais de l'île d'Elbe, en particulier) et les échangent contre des objets précieux : bijoux, poteries, vaisselle ou des matières premières de luxe comme l'ambre, l'ivoire, les œufs d'autruches qu'ils font venir aussi bien d'Orient que d'Europe du Nord. Leur goût du luxe, qui sera si sévèrement critiqué plus tard par les Romains, s'exprima au travers des arts plastiques où ils ont excellé après s'être inspirés des autres peuples méditerranéens ou en faisant venir à demeure des artistes grecs ou phéniciens qui lancèrent en Étrurie des ateliers réputés. Dans les différents grands musées du monde et en Italie, on admirera les nombreux objets laissés par les Étrusques qui ont travaillé dans ces domaines suivants : la sculpture (en bronze et en terre cuite), la poterie, l'orfèvrerie, l'architecture et la peinture (notamment la fresque qui orne la plupart de leurs nécropoles).

La sculpture : montée au pinacle par les artistes de la Renaissance, la *Chimère d'Arezzo* (400 à 350 ans av. J.-C.) est une des merveilles de la statuaire étrusque. Exposée au musée archéologique de Florence, elle révèle à quel degré de perfection les Étrusques ont porté le travail du métal (fer de l'île d'Elbe). Métallurgistes réputés, excellents « bronziers », les Étrusques ont sculpté et fondu – selon la « technique du bronze à la cire perdue » – d'innombrables statuettes, armes et pièces de mobilier, depuis le VIIIe siècle av. J.-C. jusqu'au début de notre ère, lorsqu'ils furent soumis à la tutelle romaine. Leurs dernières et magnifiques créations en portent la marque, entre autres la célèbre statue de *L'Orateur* (80 av. J.-C.), représentant Aulus Metellus. Bien que l'Étrurie posséda des carrières de pierre et de marbre, les Étrusques ont peu utilisé ces matériaux, leur préférant le métal ou la terre cuite. Cette dernière leur a également permis de réaliser de grands chefs-d'œuvre, souvent influencés par l'art des Grecs avec lesquels les Étrusques commercèrent très tôt. On admirera en particulier le *sarcophage des Époux* (au Louvre / VIe s. av. J.-C.), *L'Apollon de Veies* (à Rome / 500 av. J.-C.), la *paire de chevaux ailés* du musée de Tarquinies (IVe au IIe s. av. J.-C.) ou la belle *tête de Zeus*, de l'école de Phidias, fin du Ve s. av. J.-C. (Musée d'Orvieto). Toujours à l'exemple des Grecs, les Étrusques produiront localement de la vaisselle de céramique décorée, en particulier dans le style *bucchero nero* (noir brillant).

Les bijoux : ils passent, à raison, pour être les plus beaux de l'Antiquité. Dès le huitième siècle av. J.-C., les hommes mais surtout les femmes de la noblesse étrusque se parent de somptueux bijoux dont on retrouvera de très nombreux exemplaires dans les nécropoles. Les fibules (ancêtres des épingles à nourrice servant à fermer des vêtements) font partie des premiers bijoux, en bronze plaqué or, en argent ou en électrum. En vogue également à cette époque : les pendentifs, des bracelets, des colliers, des médaillons utilisant des pierres dures et des métaux semi-précieux. Avec le VIIe siècle, commença l'apothéose du bijou étrusque ; on utilisa l'or massif et toutes sortes de techniques sophistiquées importées par des orfèvres orientaux : les pendentifs et les bracelets furent réalisés à partir de grandes feuilles d'or repoussé qui font apparaître tout un bestiaire ou des cortèges de figures féminines entourées de motifs compliqués. L'artisan utilisa aussi des filigranes et des grains d'or dont il tira d'extraordinaires effets décoratifs. Puisant dans un large répertoire de formes, il a façonné aussi bien des fibules que des barrettes à cheveux, des boucles d'oreille que des colliers ou des bagues, des pendentifs, des ceintures et des diadèmes. Dans tout ce travail de l'or qui s'étendra du VIIIe s. jusqu'à l'hégémonie de Rome vers le IIIe s. av. J.-C., on reconnaît maintes influences et notamment celles des Grecs et des Perses. Il reste cependant que la bijouterie étrusque est un art original dont on verra de nombreux spécimens dans les musées de Rome et de Florence, entre autres.

L'architecture : bien que les Etrusques aient été de grands bâtisseurs, il reste peu de vestiges des « cités des vivants », car ' les Romains et leurs successeurs ont, dans la quasi-totalité des cas, construit leurs villes par-dessus. En revanche, les « cités de morts » ont été préservées parce qu'elles étaient édifiées hors de la ville. Aussi, aujourd'hui, les nécropoles sont-elles seules à porter témoignage de l'art de bâtir des Etrusques. Paradoxalement, elles renseignent d'ailleurs beaucoup sur le monde des vivants car les Etrusques avaient l'habitude de donner à leurs tombes et à leurs nécropoles la forme de leurs cités et de leurs villes. A Caere-Cerveteri, par exemple, certaines tombes peuvent comprendre plusieurs chambres dont les plafonds sont traversés par des poutres imitant celles de la maison. Sur les murs, tous les ustensiles ménagers sont moulés dans la terre, en trompe-l'œil. Quant à l'ensemble de la nécropole, elle est ordonnée selon le schéma d'une vraie ville avec ses rues et ses places. Cette réputation de bâtisseurs qu'avaient les Etrusques s'affirma à Rome à laquelle ils donnèrent plusieurs rois constructeurs, les Tarquins ; ce sont eux qui auraient construit le temple du Capitole, amené leurs modèles de maisons et creusé les égouts.

Les peintures : les archéologues, suivis par les touristes, ont subi, et subissent toujours aujourd'hui, le choc de la découverte des tombes étrusques. De superbes fresques, hautes en couleurs, développent sur les murs de ces nécropoles tout l'art de vivre étrusque. Avec beaucoup de fraîcheur et un grand sens du mouvement, ils représentent des danseurs (tombe du triclinium à Tarquinia) ou de riches personnages en train de festoyer sur leur canapé, en compagnie de leurs épouses, de leurs courtisanes et de leurs esclaves (tombe des Léopards de Tarquinia).

L'art roman en Toscane

Restant dans la zone d'influence artistique de Byzance, la Toscane ne connaît pas au XIIe siècle un développement de l'art roman de même ampleur qu'en Lombardie et dans le reste de l'Europe. Pas de grandes fresques comme dans les églises françaises ou de Catalogne espagnole, peu d'architectures et de sculptures. Néanmoins, à Pise, l'architecte Buscheto crée un style roman original, influencé de l'Orient, où les édifices – comme ceux du Campo dei Miracoli – sont construits en panneaux de marbre blanc rythmés par des verticales de

---

L'instinct italien des Étrusques

« ... Les Étrusques mettaient en pratique ce qui semble bien être l'instinct italien. Des villes indépendantes, chacune entourée d'un certain territoire, parlant son dialecte particulier et cependant toutes reliées entre elles par une religion et des intérêts communs. Même de nos jours, Lucques est très différente de Ferrare et la langue est à peine la même. Dans l'Étrurie ancienne, l'isolement des villes, à l'intérieur d'une pseudo-nation, devait être complet. Le contact entre les masses de Caere et de Tarquinies devait être à peu près nul. Ils étaient sans doute étrangers les uns aux autres. Seuls les *Lucumones*, les magistrats sacrés des familles nobles, les prêtres et les marchands devaient correspondre entre eux et parler une langue « correcte » alors que le peuple usait de dialectes aussi éloignés que les langues étrangères. Pour se faire une idée du monde pré-romain, il faut perdre l'idée d'uniformité et admettre la confusion et la diversité. »
D.H. Lawrence, « Promenades étrusques », Gallimard.

marbre vert. Ces motifs géométriques sont particulièrement raffinés et poussés, pour donner des effets optiques à Florence (pavement et façade du Baptistère : façades des églises de San Miniato et de la Badia de Fiesole). Parmi les rares sculpteurs de cette époque : *Bonanno Pisano* qui fondit les grandes portes de bronze de la Cathédrale (avec des bas-reliefs représentant des scènes de la vie du Christ).

L'art gothique

Du XIIIe au XVe siècle s'épanouit en France, puis dans toute l'Europe, « l'art gothique » appelé aussi « l'art des Cathédrales », tant ces édifices arriveront à un haut degré de perfection architecturale et généreront de grands talents dans des domaines aussi divers que l'architecture, la peinture, la sculpture et les arts somptuaires. Nouvelle conception de l'espace, l'art gothique en architecture privilégie à la fois l'élan en hauteur et le vide par rapport au plein. Grâce à la voûte d'ogives, les édifices deviennent aériens et montent en hauteur avec sveltesse. Les fenêtres se font plus grandes et se garnissent de vitraux, les fresques décorent les murs et partout se développe une dentelle de pierre (chapiteaux, tympans et couronnements de façades, ambons, etc.).

Importé en Italie par les Cisterciens (moines de Citeaux en Bourgogne), l'art gothique ne durera qu'un siècle (milieu du XIIIe-fin du XIVe) en Toscane ; il sera bientôt remplacé par le style Renaissance (XVe s.). Pendant « son siècle », le Gothique va subir d'importantes adaptations dans deux sens : la création d'ordres religieux pauvres (Franciscains et Dominicains), par St François d'Assise et St Dominique, va infléchir l'architecture des églises vers plus de dépouillement. Inversement, les riches marchands des communes de Toscane (à Pise, Sienne et Florence) vont financer des édifices religieux et civils (palais communaux, maisons particulières) qui témoignent de leur réussite financière et de l'essor de leur cité : ainsi, à Florence, Arnolfo di Cambio (1240-1302) construit une nouvelle Cathédrale et le Palazzo Vecchio qui surprennent par leurs tailles imposantes et la richesse de leurs matériaux. A Sienne, la Cathédrale, bicolore à l'intérieur, montre sur sa façade une profusion de sculptures qui témoigne de ce goût de l'étalage des

richesses propre à ces banquiers du XIIIe s. qui ont prêté aux grands du monde d'alors.

De Pise surgit toute une dynastie de grands sculpteurs gothiques qui vont travailler dans toute la Toscane et influencer plusieurs générations d'artistes : *Nicolo Pisano* (mort vers 1280) et son fils *Giovanni* (mort vers 1329) à qui on doit, entre autres, les superbes chaires de Pise (Cathédrale et Baptistère) et de Sienne (Cathédrale), finement sculptées dans le marbre comme des bijoux d'ivoire. Un de leurs descendants, *Andrea Pisano* (1270-1348), sculptera une des fameuses portes en bronze du baptistère de Florence. Dans la même ville, *Andrea Orcagna* (1308-1368) dote l'église d'Orsanmichele d'un tabernacle (représentant la « Mort et l'Assomption de la Vierge ») qui est considéré, à juste titre, comme un des sommets de l'art gothique, tant le travail est digne d'une dentellière.

La peinture connaît en Toscane un véritable âge d'or : à Florence et à Sienne naissent deux écoles fameuses qui insufflent un peu de vie et de mouvement aux fresques et mosaïques figées par l'art byzantin. Les apôtres de cette révolution sont *Giovanni Cimabue* (1240-1302) à Florence et *Duccio di Buoninsegna* (1260-1318) à Sienne. Malheureusement, peu d'œuvres de ces deux précurseurs nous sont parvenues ; il faut aller voir les œuvres de Cimabue à Assise, Florence et Pise, et celles de Duccio à Sienne et à Florence. Plus connus sont leurs élèves *Giotto di Bondone* (1266-1337) et *Simone Martini* (1284-1344) qui ont approfondi avec génie ce courant naturaliste. Forts des prêches de St François d'Assise, ils restituent la nature avec une simplicité qui confine à la grandeur, et la plupart des personnages représentés sont bien en chair et en os, affectés de sentiments humains (à Florence, cycle de fresques de Giotto à Santa Croce, et à Sienne, fresques de Martini au Palais Public). Ces deux phares de la peinture gothique auront beaucoup d'élèves et émules : les *frères Lorenzetti* par exemple pour S. Martini ; *Giottino, Bernardo Daddi* et, dans une certaine mesure, *Fra Angelico*, au siècle suivant, pour Giotto.

La littérature atteint également des sommets avec *Dante Alighieri* (1265-1321) qui jouera un moment un rôle important dans le gouvernement de la commune de Florence, avant d'être victime de la guerre civile entre Noirs (guelfes partisans du pape) et Blancs (gibelins partisans de l'Empereur). Banni en 1302, le poète ne reviendra jamais à Florence. En plus de son amour pour Béatrice Portinari, Dante transposera toute son époque et ses personnalités politiques, religieuses ou philosophiques dans son extraordinaire poème : « La Divine Comédie ». A la fin de ses jours, Dante verra naître deux autres phares de la littérature italienne : *François Pétrarque* (1304-1374), dont l'amour éperdu pour Laure de Noves se traduira par trois cents sonnets, et *Jean Boccace* (1313-1375), auteur d'une centaine de nouvelles truculentes qui ont été rassemblées dans le « Décaméron ». Grâce à ces écrivains qui utilisèrent le « Toscan », considéré comme vulgaire, et non le Latin, ce patois devint bientôt la langue nationale de toute la péninsule : « l'Italien ».

La Toscane joue également un rôle important dans l'histoire de la musique puisque Guido d'Arezzo (995-1050) fut le premier à donner au monde son système de notation musicale. A Florence, Francesco Landini (1325-1397) sera un de ceux qui développeront l'*Ars Nova* (polyphonie), différent du chant grégorien (monophonique), en composant plus d'une centaine de ballades à deux voix.

Les sciences s'illustrent également en Toscane avec le mathématicien *Léonard de Pise* (1170-1250), qui introduit en Europe la science arabe.

La Renaissance

C'est à Florence, en 1401, que débute la Renaissance avec le concours sur les portes du Baptistère. Les projets présentés par *Brunelleschi, Jacopo della Quercia, Ghiberti* et d'autres montrent qu'un souffle nouveau anime les arts, les lettres et les sciences. Cet humanisme qui naît avec le siècle (le *Quattrocento*) se retrempe complètement dans l'étude de l'Antiquité grecque et romaine qu'il va sublimer. Il n'est pas rare que des artistes courent la campagne avec un carnet de notes pour étudier la moindre ruine. C'est le cas de *Brunelleschi* qui passa toute l'année 1407 à Rome avec Donatello pour y trouver des modèles dans les ruines antiques. Retenu, le projet de portes de *Ghiberti* (1378-1455) révèle un grand souci des proportions du corps humain, de la perspective, en même temps qu'apparaissent dans la composition des ruines antiques.

Parmi tous les sculpteurs de ce début de Quattrocento se révèle surtout *Donatello* (1386-1466), dont les œuvres empruntent leurs thèmes à l'histoire sainte chrétienne, mais dont la facture rappelle la statuaire grecque et romaine.

Comme il n'existe pas de métier d'architecte, c'est à des peintres, à des sculpteurs et même à des orfèvres qu'on confie la construction des édifices en Toscane. Le plus grand architecte de cette première Renaissance (XVe s.) est assurément *Filippo Brunelesci* (1377-1446). Avec une hardiesse folle, il placera sur la cathédrale de Florence (Sta Maria del Fiore) la fameuse coupole qui porte son nom. A la différence des toitures gothiques des cathédrales, elle n'a aucun arc-boutant pour la soutenir et l'empêcher de s'effondrer. Pourtant, sa taille est imposante, surdimensionnée pour l'époque, plus de 45 m de diamètre. Pour tenir cette gageure, Brunelleschi a inventé une astuce géniale : la coupole est double (il y a en fait deux coupoles gigognes qui s'emboîtent parfaitement) et de forme elliptique. Passionnés de mathématiques, les architectes de la Renaissance, comme Brunelleschi, joueront avec maestria sur les proportions et les formes géométriques des édifices construits, leur imprimant un rythme quasi musical : il faut voir comment Brunelleschi joue avec le cercle et le carré dans la Sacristie de l'église San Lorenzo à Florence, ou encore l'art d'un Leon Battista Alberti et d'un *Bernardo Rossellino* qui dessine avec rigueur et élégance la façade du palais Rucellai, sans que la répétition de fenêtres géminées et des pilastres soit jamais lassante.

En peinture, cette première Renaissance voit arriver à Florence un nombre extraordinaire de talents de première grandeur : dans l'église Santa Maria del Carmine, tout le monde vient voir travailler, sur des fresques représentant la vie de St Pierre, *Masolino* (1383-1440) et son élève *Masaccio* (1401-1428), dont les œuvres seront terminées par *Filippino Lippi* (1457-1504). Peu de temps après (à partir de 1436), c'est le Dominicain *Fra Angelico* qui décore une à une toutes les cellules et les salles du couvent San Marco, au nord de Florence.

Après *Paolo Uccello* (le peintre des grandes batailles, 1396-1475) viennent *Piero della Francesca* (1405-1492), *Filippo Lippi* (1406-1469), le maître de Botticelli, *Benozzo Gozzoli* (1420-1497), auteur des magnifiques fresques du Palais Medici-Riccardi et bien d'autres. Cependant qu'une nouvelle vague d'artistes nés dans les années 40-50 prendra le relais des anciens, et non des moindres : *Sandro Botticelli* (1444-1510), *Ghirlandajo* (1449-1494), *Filippino Lippi* (1457-1504) et un sculpteur génial : *Verrochio* (1435-1488).

Pur produit de la Renaissance, *Léonard de Vinci* (1452-1519) excelle dans toutes les disciplines auxquelles il se consacre : peinture, mathématiques, botanique, anatomie, hydraulique, balistique, aéronautique, géologie, optique, etc. Malheureusement, Florence ne possède pas de grandes œuvres de lui, comme la Cène de Milan, car sa fresque commémorant la bataille d'Anghiari pour le Palazzo Vecchio s'est entièrement détériorée.

En littérature, la première Renaissance fut l'époque des humanistes comme *Laurent-le-Magnifique de Médicis* (1448-1492) qui écrivit en vers, et de son protégé *Ange Ambrogini « Le Politien »* (1454-1494) précepteur de ses enfants et auteur de poésies et de théâtre. Dans le domaine des sciences, des peintres comme *Paolo Uccello* et *Piero della Francesca*, des architectes comme *Brunellesci* et *Leon Battista Alberti* étudient les mathématiques et la perspective qu'ils font progresser en écrivant des traités savants.

La deuxième Renaissance

Pendant la deuxième Renaissance (XVIe siècle), Florence n'est plus le seul foyer culturel d'un mouvement culturel qui s'est propagé dans toute l'Italie (à Rome et Venise, en particulier) et dans une bonne partie de l'Europe (la France notamment). De Florence, *Michel-Ange* (1475-1564), qui a travaillé comme architecte (San Lorenzo), sculpteur et peintre, fait la navette avec Rome où il s'installe définitivement pour participer à l'embellissement de St Pierre et notamment à la fameuse Chapelle Sixtine. De son côté, *Raphaël* (1483-1520) effectue un parcours analogue et après avoir laissé à Florence quelques madones admirables, il se rend au Vatican pour y décorer les

nouvelles salles (les célèbres « Stanze » et « loges » qui portent son nom). Enfin, *Léonard de Vinci*, aîné de Raphaël et de Michel-Ange, quitte Florence pour Milan, Mantoue et enfin la France de François Ier où il meurt près d'Amboise, au château de Cloux. L'époque des grands génies de la peinture florentine est terminée.

En architecture, Florence voit travailler *Giorgio Vasari* (1511-1574) à l'aménagement du Palazzo Vecchio, pour le nouveau Grand-Duc Côme Ier de Médicis et au palais des Offices. Deux autres architectes prennent le relais : *Bartolomeo Ammannati* (agrandissement du palais Pitti, Pont Sta Trinita) et *Bernardo Buontalenti* (1536-1608) qui réalise le Fort du Belvédère et le palais Nonfinito.

De tous les auteurs du XVIe siècle à Florence, le plus éminent est *Nicolo Machiavel* (1469-1527) qui occupe des fonctions importantes dans le gouvernement de la ville, ce qui lui permet d'observer avec précision les mœurs politiques de son temps et d'en tirer un véritable traité de science politique : « Le Prince ». En histoire, il faut citer aussi *François Guichardin* (1482-1540) qui écrivit une « Histoire de Florence » et une « Histoire d'Italie ».

Les sciences s'illustrent avec *Galilée* (1564-1642), célèbre mathématicien et astronome pisan qui fit une partie de sa carrière à Florence, et fut ensuite traîné devant l'Inquisition à Rome où on l'obligea à renier la théorie de Copernic, jugée hérétique car, à la différence de la Bible, elle prétend que la Terre tourne autour du soleil. Il compte comme un des fondateurs de la méthode expérimentale.

La musique, encore, doit beaucoup à Florence où l'opéra commença à prendre forme entre 1577 et 1582 dans le cadre de la *Camerata de Giovanni Bardi*. Des humanistes et musiciens comme *Vincenzo Galilei* (le père du savant), *Pietro Strozzi* et *Giulio Caccini*, s'inspirant de l'idéal des Anciens, s'efforcèrent de composer des chants monodiques comme les Grecs, qui ressembleraient au langage parlé et jetteraient les bases d'un théâtre chanté, le futur opéra.

Aller à Florence

Par avion. Récemment, le petit aéroport international de Peretola, à l'ouest, de Florence à 4 km, a été ouvert. Il est desservi deux fois par jour, tous les jours, par les avions quadriréacteurs (40 places en économique et 39 en classe affaire) de la Compagnie Méridiana (Tél. à Paris 01 42 61 12 88) au départ de l'aéroport de Paris-Roissy-Charles de Gaulle 1. Mais il n'a pas détrôné celui de Pise (Galilei) qui reste le grand aéroport international de la Toscane avec les vols Alitalia, Air France, Swissair, et, Sabena. Une navette de trains (départ toutes les heures) dessert directement depuis l'aéroport de Pise la ville de Forence (1 heure de trajet).

Par le train. Des trains rapides et confortables de la SNCF assurent la desserte de Florence au départ de Paris-Gare de Lyon, via Dijon, Lausanne, Milan et Bologne. On y trouvera des places en 1re et 2e classe ainsi que des couchettes (10 à 12 h de trajet).

Par la route. Des autoroutes permettent de gagner Florence sans difficultés depuis Paris. Deux itinéraires possibles : Paris - Lyon - Chambéry - tunnel du Mt-Blanc - Aoste - Milan - Parme - Bologne - Florence. Et aussi Paris - Lyon - Marseille - Nice - Gênes - La Spezia - Pise - Florence. Il existe des services d'autocars réguliers, au départ de la gare routière de Paris-Place de Stalingrad à destination de Florence et des grandes villes d'art italiennes.

Voyages à forfait. Plusieurs voyagistes proposent à bon prix des voyages à forfait comprenant dans le même billet le transport aérien ou ferroviaire, et l'hébergement en hôtels de toutes catégories.

Époque du voyage

Il fait très bon toute l'année à Florence : ce n'est donc pas le climat qui doit déterminer la période de voyage envisagée, mais l'affluence des touristes. Éviter absolument les périodes de congés scolaires car l'affluence est considérable partout : dans les hôtels, les restaurants, les musées, etc. Particulièrement en juin-juillet-août. Éviter aussi les périodes de congrès et de salons, de plus en plus fréquents à Florence (se renseigner auprès de l'Office du Tourisme Italien à Paris).

Formalités

Pour les ressortissants des pays membres de la CEE, la carte d'identité nationale suffit. Pour les Suisses et Canadiens, un passeport sans visa est nécessaire. Pas de vaccination obligatoire.

Transports intérieurs

A Florence : les distances en ville étant relativement courtes entre les différents points d'attraction et les zones piétonnières de plus en plus étendues, c'est à pied qu'il faut surtout découvrir Florence. Il existe cependant un bon réseau de taxis et d'autobus urbains.

En Toscane : pour visiter Pise, Sienne, Arezzo, etc., le train ou l'autocar sont très fiables. Mais, pour plus de souplesse, il est évidemment meilleur de louer une voiture : les grands loueurs internationaux sont tous implantés à Florence (Avis, Hertz, Europcar, etc.). Location, également, de deux-roues : Free Motor (6 via S. Monaca), Cia & Basta (v. Alamanni), Program (135 r. Borgognissanti), Motorent (9 r. Via S. Zanobi).

L'hébergement

La ville même de Florence compte plus de 360 établissements hôteliers de toutes catégories. En plus des hôtels de la ville, il faut compter avec ceux des communes environnantes : Fiesole, Prato, Vinci, Empoli, Impruneta, Marradi, Reggello, etc. Il existe aussi à Florence des meublés, des chambres chez l'habitant ou dans les institutions religieuses et de nombreuses petites pensions, dont on trouvera la liste auprès de l'Office de Tourisme Italien à Paris ou sur place. Si l'on voyage seul, il sera prudent de réserver longtemps à l'avance ses chambres d'hôtel.

Campings : « Italiani e Stranieri », viale Michelangelo 80, tél. 68.11.977. « Villa Camerata », 2/4 viale Righi, tél. 61.03.00.

Pour les jeunes : plusieurs résidences du type « auberge de la jeunesse », dont la plupart ont été ouvertes par des religieux (Casa Regina SS Rosario, Villa I Cancelli, Santo Nome di Gesu', Patrocinio S. Giuseppe, Ist. S Angela, Istituto Gould, La Residenza, Villa

Maria Assunta). Gratuit : la Villa Favard, via Rocca Tedalda. Auberges de la jeunesse : Ostello Santa Monaca (6 via Sta Monaca, tél. 29.67.04), Ostello della Gioventu (villa Camerata, 2-4 viale Righi, tél. 60.14.51).

Séjours linguistiques : apprendre l'italien à Florence (Eurocentre, 13, passage Dauphine, 75006 Paris, tél. 43.25.81.40). A partir de 16 ans. Sur place : Leonardo da Vinci (4 via Brunelleschi), Machiavelli (4 piazza Santo Spirito), Koiné (27 via Pandolfini).

Renseignements touristiques

A Paris : Office National Italien du Tourisme, 23, rue de la Paix, 75002, tél. 01.42.66.03.96.

A Florence : Ente Provinciale per il Turismo, 16 via Manzoni, tél. 24.78.141/5. Azienda Autonoma di Turismo, 15 via Tornabuoni, tél. 21.65.44/45.

Horaires

Boutiques : de 9 h à 13 h et de 15 h 30 à 19 h 30.

Banques : de 8 h 30 à 13 h 30 du lundi au vendredi.

Presque tous les musées de Florence sont ouverts seulement le matin de 9 h à 14 h (13 h les jours fériés), du mardi au dimanche inclus (fermeture quasi générale le lundi).

PTT : de 8 h 30 à 14 h (24 h sur 24 dans les aéroports et pour les télégrammes ou les recommandés dans les bureaux de postes).

Jours fériés

La plupart des jours fériés coïncident avec ceux de la France : 1er janvier (Jour de l'An) ; 25 avril, anniversaire de la Libération de l'Italie ; 1er mai, fête du Travail ; 24 juin, fête de la Saint-Jean, patron de Florence ; 15 août, Assomption ; 1er novembre, Toussaint ; 8 décembre, fête de l'Immaculée Conception ; 25 décembre, Noël ; 26 décembre, Saint Étienne. Jour férié à date variable : lundi de Pâques.

Festivités

Parmi les fêtes traditionnelles en Toscane, on citera :

A Pise : le « Jeu du pont » *(gioco del ponte),* en juin.

A Florence : le *« Scoppio del carro »* (explosion du char) à Pâques ; le *« Gioco del calcio »* (partie de ballon en costume du XVIe s.) en juin ; la St Jean, patron de la ville (24 juin) ; la fête du

grillon (Ascension) ; la fête des lampions (7 septembre).

Sienne : le *Palio* (course de chevaux en costumes anciens) en juillet-août.

Arezzo : la *« giostra del Saracino »* (joute du Sarrasin) en septembre.

Viareggio : carnaval, en février.

Parmi les manifestations diverses, on notera de très nombreuses expositions d'art ancien ou moderne à Florence, au Palais Pitti, à la Forteresse de Basso, au centre d'affaires et au Centre de Congrès, au Fort du Belvédère, au Palais Strozzi, au Palais Ruccellai, etc. Des concerts dans les églises, sur les places publiques, au Palazzo Vecchio, au Teatro Comunale, etc., en particulier à l'époque du « Mai Florentin ». Et aussi spectacles de ballets, théâtre, festivals de cinéma.

En automne : grand salon des Antiquaires. Au printemps : Marché international de l'artisanat.

Nombreux concerts également à **Fiesole** (ainsi que du théâtre, du ballet, du cinéma et des expositions d'art lors du *festival Estate fiesolana* qui dure de juin à septembre).

Dans la province de Florence : foires vinicoles de mai à décembre, selon les localités (Pontassieve, Montespertoli, Cerreto Guidi, Rufina, Greve in Chianti, Carmignano).

De grandes foires-expositions commerciales se tiennent également à la Fortezza da Basso et au Centre de Congrès sur les thèmes de la mode (masculine, féminine et enfant), la lingerie, le textile, le cuir, les caravanes, l'artisanat. Courses de chevaux aux hippodromes de Mulina et de Cascine. Tournois de tennis internationaux à Cascine. Floralies, place SS Annunzia. Expositions canines internationales, parc de Cascine.

Poste

La Poste Centrale se trouve Via Pellicceria (et débouche place de la République). On peut acheter des timbres et des cartes postales dans les bureaux de tabac, comme en France. Pour téléphoner dans les cabines publiques, il faut se munir de pièces de 100 ou 200 lires, ou encore de jetons en vente dans les bureaux de tabac. Indicatif international : faire le 00. De Paris, on obtiendra Florence en faisant le 19 (international), le 39 (Italie), le 55 (Florence) et enfin le numéro de votre correspondant. Le prix de la communication téléphonique est moins élevé lorsqu'on téléphone la nuit et le week-end.

Santé

Florence compte de nombreux médecins, hôpitaux et pharmacies qui sont de garde à tour de rôle et fonctionnent donc 24 h sur 24. Plusieurs pharmacies sont en permanence ouvertes la nuit : *Codecà,* 50 via Ginori ; *Molteni* Passigli, 7 via Calzaiuoli ; *Paglicci,* 49 via della Scala, *S Giovanni di Dio,* 40 Borgo Ognissanti ; *Taverna,* piazza s. Giovani ; Farmacia Comunale (à Lugare), tél. 26.34.35. En cas d'urgence, appeler le 113.

Rappelons qu'un accord a été signé entre la France et l'Italie permettant le remboursement par la Sécurité Sociale française des frais médicaux engagés en Italie (on ira chercher avant le départ un formulaire E111 auprès de sa caisse). On peut également utiliser les services d'urgence d'entreprises spécialisées comme Europ Assistance qui assure aux blessés et aux malades graves un rapatriement rapide.

Vivre à Florence

La plupart des merveilles de Florence, églises, musées, palais, ne sont ouvertes aux visiteurs que le matin. Aussi faut-il organiser avec soin son séjour et découvrir les musées ouverts l'après-midi pour éviter les temps morts. En voici une petite liste :

– l'ensemble de la Cathédrale et du Baptistère : mosaïques du baptistère (de 12 h 30 à 17 h 30), campanile de Giotto (9 h à 17 h l'hiver et de 9 h à 19 h l'été), Cathédrale Sta Maria del Fiore (10 h 30 à 17 h 30), Crypte de ste Réparate (10 h 30 à 17 h), coupole de Brunelleschi (de 10 h 30 à 17 h), Musée des Travaux de la Cathédrale (9 h à 18 h l'hiver et 9 h à 20 h l'été) ;
– église Santa Croce (de 7 h 30 à 12 h 30 et de 15 h à 18 h 30). Musée des Travaux de Sta Croce : de 10 h à 12 h 30 et de 14 h 30 à 18 h 30 (de mars à fin septembre), et de 10 h à 12 h 30 et de 15 h à 17 h (d'octobre à fin février) ;
– église Santa Maria Novella (de 7 h à 11 h et de 15 h 30 à 18 h) ;
– église Santa Maria del Carmine (de 7 h à 12 h et de 16 h à 18 h) ;
– église San Miniato al Monte (de 8 h 30 à 12 h et de 14 h à 17 h 30) ;
– Palazzo Vecchio (de 9 h à 19 h tous les jours sauf le samedi. Jours fériés : de 8 h à 13 h) ;
– maison de Dante (de 9 h 30 à 12 h 30 et de 15 h 30 à 18 h 30 tous les jours, sauf le mercredi) ;
– Palais Medici-Riccardi (9 h à 12 h 30 et de 15 h à 17 h tous les jours, sauf le mercredi. Jours fériés : de 9 h à 12 h) ;

– petit musée du Palais Strozzi (de 16 h à 19 h les lundis, mercredis et vendredis).

L'extrême affluence des visiteurs à Florence rend parfois la vie en groupe plutôt pénible. Dans les musées, où on accède souvent après une longue attente, beaucoup trop « d'amateurs d'art » s'agglutinent devant les chefs-d'œuvre et les monopolisent. Sans parler de ceux – innombrables – qui se font photographier devant une statue ou une fresque, avec le sourire de circonstance... et de ceux qui visitent les églises (notamment le Duomo) en tenue plus que légère ! Quant aux pique-niqueurs, ils sont légions à abandonner boîtes vides et papiers gras sur les plus belles places de Florence.

Face à ces hordes dépenaillées, les Florentins se sont faits une raison et s'ils ne travaillent pas dans le tourisme, ont pris l'habitude de se calfeutrer sans chercher vraiment les contacts avec ces hôtes de passage. Dommage, car il est toujours plus passionnant de découvrir les charmes d'une ville ou d'un pays par l'entremise de ses nationaux...

A lire sur Florence...

— « Florence, six siècles de splendeur et de gloire », par Gene Adam Brucker (Nathan).
– « Toscane-Florence », par Sergio Romano (Points Planète, Seuil).
– « La Danse du Loup roman, par Serge Bramly (Albin Michel).
– « Toscanes », par Pierre-Jean Rémy (Albin Michel).
– « Florence », avec Julien Green (Un guide intime, Autrement).
– « Toscane, le balcon de la vie » (Autrement).
– « Voyage en Italie », par Jean Giono (La Palatine, Gallimard).
– « Promenades étrusques », par D.H. Lawrence (Gallimard).
– « Léonard de Vinci », par Marcel Brion (Albin Michel).
– « Machiavel », par Marcel Brion (Albin Michel).
– « Dante », par Dimitri Merejkowski (Albin Michel).
– « Rome, Naples et Florence », par Stendhal (Folio).
– « L'art renaissant », par Élie Faure (Histoire de l'art, Folio).

Consulats

Belgique, 4 via dei Conti, tél. 28.20.94.
France, 2 piazza Gnissanti, tél. 21.35.09.
Suisse, 5, piazzale Galileo, tél. 22.24.34.

Emplettes ·

Parmi les emplettes à faire : des livres d'art (sur les peintres, les sculpteurs, les architectes de la Renaissance et sur les villes de la Toscane). Nombreux magasins d'antiquités à Florence, notamment près du palais Pitti, de l'autre côté de l'Arno. Également, beaux bijoux.

On rapportera aussi quelques bonnes bouteilles de vin de Chianti.

Les marchés

Comme beaucoup de villes en Italie, Florence offre ses marchés en plein air pour le grand plaisir de ses habitants et des visiteurs.

Devant l'église San Lorenzo se tient le plus grand marché de Florence : on y vend principalement des articles de cuir à des prix avantageux. A proximité se trouve la grande halle alimentaire, ouverte seulement le matin. Entre le dôme et le Ponte Vecchio, dans la Via Calimala, on trouvera dans l'enceinte du Mercato Nuovo, le marché de la vannerie (objets en paille, broderie, etc.) : ouvert tous les jours, sauf dimanches et fêtes.

Le marché aux puces est lui installé dans la nouvelle halle aux poissons. Piazza Ciompi (ouvert tous les jours sauf dimanches et fêtes). Tout près, un marché uniquement alimentaire : le Mercato Sant'Ambrogio, place L. Ghiberti. Enfin, on pourra aller voir l'imposant marché/bazar qui se tient chaque mardi dans le Cascine, à l'ouest de Florence, on y trouve tout ou presque.

Téléphones utiles

Office de tourisme, tél. 21.74.59 ; 21.65.44.

Aéroport de Péretola, tél. 34.98.

Aéroport de Pise, tél. 050-28.088.

Air France, tél. 21.83.35 ; 26.32.08.

Alitalia, tél. 26.30.51/2/3.

Radio-taxis, tél. 43.90 ; 47.98.

Secours-routier (Automobile Club d'Italie), tél. 66.65.00.

Police, tél. 113.

Médecins de garde, tél. 47.78.91.

SOS Médecins, tél. 47.54.11.

Ambulance, tél. 21.22.22.

Bureau objets perdus, tél. 36.79.43.

Pompiers, tél. 22.22.22.

Tableau chronologique des Médicis

Giovanni di Averardo gen. Bicci, 1360-1429, a deux fils :

a) *Lignée de Cosimo il Vecchio* (1389-1464) :
Piero il Gottoso (1416-1469)
Lorenzo il Magnifico (1449-1492)
Piero II (1471-1503)
Lorenzo II (1492-1519)
Alessandro (1519-1537)

b) *Lignée de Lorenzo* (1395-1440)
Piero Francesco (mort en 1467)
Giovanni (1467-1498)
Lodovico (1498-1526)
Grand-Duc Cosimo I (1519-1574)
Francesco I (1541-1587)
Ferdinando I (1549-1609)
Cosimo II (1590-1621) épouse Marie Madeleine d'Autriche
Ferdinand II (1610-1670)
Cosimo III (1642-1723)
Gian Gastone (1671-1737) épouse Anne-Marie de Saxe
Anne Maria Lodovica, fille de Cosimo III (mariée avec Jean Guillaume, Electeur de Pfalz), dernière Médicis ; elle lègue à la ville de Florence les trésors artistiques de ses aïeux.

La cuisine

A la fois rurale et maritime, la Toscane bénéficie des produits de la mer et de la campagne. Sa table réputée est en plus agrémentée par les excellents vins de son vignoble de Chianti dont la notoriété s'étend non seulement sur toute l'Italie mais déborde largement ses frontières. Voici comment se présente un menu typique dans un restaurant de Toscane :

Antipasti (hors-d'œuvre) : au choix, hors-d'œuvre variés *(antipasti misti)*, petits artichauts en vinaigrette *(carciofini)* et une spécialité toscane, les foies de volailles sur des croûtons *(crustini di fegatini)*.

Primo piatto (premier plat) : plusieurs sortes de soupes de légumes comme la *« zuppa di pane »*, la *« ribollitta »* où l'on utilise du pain et du chou-fleur. Du pain encore pour la soupe de tomate *« pappa al pomodoro »*. Un classique : la *« zuppa di fagioli alla fiorentina »* (soupe de haricots et aussi de tomates, oignons et céleri). On prépare aussi le *risotto « à la florentine »* : boule de riz avec une sauce de viande et de foies de volailles. Comme partout en Italie, on affectionne les pâtes, aussi goûtera-t-on à ces plats toscans typiques : *« agnolotti alla toscana »* (raviolis farcis à la viande et aux épinards), *« cannelloni ripieni alla toscana »* (pâtes farcies de viande, de foies de volaille, de truffes, d'œufs et de parmesan), *« pappardelle alla lepre »* (pâtes fraîches arrosées d'une sauce de viande de lièvre).

Secondo piatto : le plus connu des plats florentins : la célèbre *« bistecca alla fiorentina »* (épaisse pièce de bœuf saignante sur le gril). On goûtera aussi au *« pollo alla diavola »* (poulet grillé très relevé), à la *« fricassea »* (ragoût de mouton et de veau avec une sauce aux œufs et aux champignons), *« l'arista »* (côtes de porc à l'ail et aux herbes) et aux fameuses tripes à la florentine (*« trippa alla fiorentina »*, tripes et pied de veau aux herbes et au parmesan râpé). Parmi les poissons, la *« baccala alla Livornese »* (morue en sauce au vin blanc et à l'huile d'olive, accompagnée de petits légumes), les anguilles à la florentine (au vin rouge et à l'huile d'olive) et le *« cacciucco »* (bouillabaisse).

Contorni (garnitures de légumes) : il s'agit surtout de haricots *(fagioli)* assaisonnés d'huile d'olive *(fagioli toscani)* ou de sauce tomate *(fagioli all'uccelletto)*.

Dolce (les desserts) : comme tous les Italiens, les Toscans adorent les glaces, en particulier le *« zuccotto »* (glace au biscuit et à la crème au chocolat) ainsi que les pâtisseries : *« migliaccio »* (tarte à la farine de marrons et pignons), *Schicciata* (sorte de cake aux raisins).

Les vins

La Toscane est l'un des principaux vignobles italiens qui couvre la majeure partie de la région. Elle produit 19 vins rouges et blancs DOC (appellation d'origine contrôlée) et DOCG (appellation d'origine contrôlée et garantie) dont les fameux *Chianti*. Huit sortes de vins de Chianti sont produits tout autour de Florence, Sienne, Arezzo et San Gimignano : Chianti classico, Chianti Montalbano, C. Rufina, c. Colli Fiorentini, c. Colli Senesi, c. Colli Aretini, c. Colline, Pisani et Chianti proprement dit. Entre Lucques et Pistoia, à l'ouest de Florence, s'étend le terroir du Rosso delle Colline Lucchesi, du Montecarlo, du Bianco della Valdnievole et du Carmignano. A l'est, près de Rufina, le Pomino. Au sud-ouest : le Bianco Pisano di San Torpè, autour de San Miniato ; plus au sud, le Montescudaio, la Vernaccia di San Gimignano et le Bolgheri. Au sud de Sienne : le Brunello di Montalcino. Au sud d'Arezzo : le Bianco Vergine della Valdichiana et le Nobile di Montepulciano. Au sud de Grosseto : le Morellino di Scansano, le Bianco di Pitigliano et le Parrina. Tout au nord-ouest de la Toscane, près de Carrare : le Candia dei Colli Apuani. Enfin, l'île d'Elbe produit deux vins : l'Elba Bianco et l'Elba Rosso.

On peut déguster ces différents vins dans les restaurants des grandes villes, comme Florence ou Sienne, mais il est plus amusant de se rendre dans leur vignoble d'origine, d'autant qu'ils sont parsemés de petits villages pittoresques, de nécropoles étrusques et de toutes sortes d'autres curiosités. A noter que de nombreuses foires vinicoles ont lieu périodiquement en Toscane (notamment entre mai et décembre), en particulier à Carmignano, Rufina, Cerreto Guidi, etc.

PREMIÈRE PROMENADE : LE CENTRE-VILLE
(LA CATHÉDRALE, LE BAPTISTÈRE, SAN LORENZO ET LA CHAPELLE DES MÉDICIS)

Si on s'en tient strictement à l'histoire, le centre de Florence serait la **Place de la République** (Piazza della Repubblica), au milieu d'un quadrilatère de rues, marquant l'emplacement d'un ancien camp romain. Ce dernier n'aurait pas été installé sur les hauteurs, car à la différence des Étrusques, les Romains préféraient les plaines aux collines pour jeter les fondations d'une ville ou d'un camp. On remarquera également que ce premier camp romain ne se trouvait pas tout au bord de l'Arno car on craignait — à juste titre — ses crues souvent catastrophiques. Sur cette place de la République se tenait encore au siècle dernier le Vieux Marché (Mercato Vecchio), à l'emplacement de l'ancien Forum romain. Il avait été bâti vers 1030 et fonctionnait comme un grand marché régional où s'échangeaient de nombreuses denrées agricoles : céréales, vin, huile, viande, volaille, cultures maraîchères, etc. De grandes familles de commerçants y avaient leur résidence et leurs entrepôts, en particulier les Médicis (qui s'enrichirent dans le commerce international du textile et des épices ainsi que dans la banque). Aujourd'hui, la Place de la République est devenue un élégant point de rencontre de la ville, avec ses grandes terrasses de brasseries. On se rendra d'abord vers la Place de la Cathédrale (Piazza del Duomo), un peu plus au nord-est. En fait, cette grande aire est formée par deux places : del Duomo et San Giovanni dominées par le Baptistère Saint Jean et la Cathédrale Santa Maria del Fiore (Duomo).

A l'ouest de ces deux places, le **Baptistère de Saint-Jean ;** de style roman (XIe s.), il semble être l'édifice le plus ancien de Florence. Avant la construction de la cathédrale, à côté, le Baptistère remplissait cette fonction. De forme octogonale et décoré de marbres polychromes, le Baptistère est très connu pour ses portes (visite tous les jours de 12 h 30 à 17 h 30, entrée gratuite). C'est l'un des édifices les plus beaux de Florence. Déjà, au XIIIe siècle, le poète Dante l'appelait « Mon beau Saint-Jean ».

Les Portes du Paradis : trois portes de bronze monumentales donnent accès au Baptistère de Saint-Jean,

réalisées par de très grands sculpteurs : Andréa Pisano au XIVe siècle, pour la porte sud ; Ghiberti au XVe s., pour la porte nord (aidé de Donatello, Uccello, Cennini et Ciuffagni) et surtout la porte orientale faisant face à la cathédrale. Comme la porte nord, elle a été conçue par Lorenzo Ghiberti mais dépasse toutes les autres par sa beauté. La réalisation de cette porte marque le début de la Renaissance ; les historiens, en effet, ont l'habitude de faire débuter la Renaissance à Florence en 1401, date du concours pour les portes du Baptistère. Le projet de Ghiberti étonna tellement ses contemporains, en particulier Michel-Ange, qu'on lui donna le nom de « Portes du Paradis ». En regardant attentivement chacun des dix panneaux de bronze doré qui la constituent, on constatera que Ghiberti n'a pas répété de simples motifs décoratifs — comme c'était l'usage — mais a inventé des scènes différentes (qui pourraient très bien être séparées de l'ensemble car elles constituent chacune un chef-d'œuvre se suffisant à lui-même). Il fallut vingt-sept ans pour

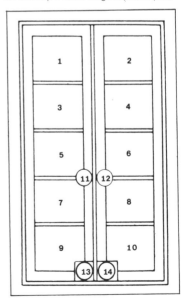

les réaliser (de 1425 à 1452). Tirées de la Bible, ces scènes se lisent en commençant par les panneaux du haut selon le schéma suivant :

① : la création d'Adam et Ève, leur expulsion du paradis terrestre après le péché originel.

② : Caïn et Abel travaillant aux champs ; le meurtre d'Abel et les reproches de Dieu à Caïn.

③ : l'Arche de Noé et le Déluge. L'arc-en-ciel de la réconciliation avec Dieu. L'ivresse de Noé (il est abandonné par ses fils, Japhet et Sem).

④ : Abraham et Sarah. Le sacrifice d'Isaac empêché par l'ange.

⑤ : l'histoire de Jacob et d'Esaü ; celui-ci vend son droit d'aînesse pour un plat de lentilles. Rebecca et Jacob. Isaac envoie Esaü à la chasse et donne sa bénédiction à Jacob.

⑥ : Joseph et ses frères en Égypte. Vente de Joseph aux marchands. Interprétation du rêve du Pharaon (récolte du blé en prévision de la famine). Joseph se fait reconnaître par ses frères. Découverte de la coupe en or dans le sac de Benjamin.

⑦ : l'histoire de Moïse. Le prophète reçoit les Tables de la Loi.

⑧ : Josué et le peuple élu traversant le Jourdain avec l'Arche d'Alliance. Effondrement des murs de Jéricho.

⑨ : Saul combattant les Philistins. David et le géant Goliath.

⑩ : Salomon reçoit la reine de Saba dans le Temple de Jérusalem.

Les deux Portes du Paradis sont encadrées par de petites frises où sont représentés les Prophètes et les Sybilles. Dans de petits cercles ⑪ ⑫ ⑬ ⑭ sont représentées les têtes des artistes contemporains de Ghiberti ainsi que celle du sculpteur lui-même. Le montant des Portes est également remarquable pour sa décoration de fleurs et d'animaux. Au-dessus, sur le linteau : un groupe de sculpture du Sansovino (réalisé en 1502) représente le baptême du Christ.

Les autres portes : au sud du Baptistère de St Jean, la porte d'Andrea Pisano, qui la sculpta entre 1330 et 1336, est de style gothique. Elle est divisée en vingt-huit panneaux représentant la vie de Saint Jean, les vertus théologales et les vertus cardinales. Quant à la porte du nord, de Lorenzo Ghiberti, elle a été sculptée entre 1403 et 1424, juste avant les Portes du Paradis. Sans atteindre le génie des

Portes du Paradis, celles-ci sont quand même très belles. Elles reprennent la composition en 28 cartouches de Pisano (porte sud), et représentent des scènes tirées du Nouveau Testament ainsi que les Évangélistes et les Docteurs de l'Église.

Les murs à l'intérieur du Baptistère sont entièrement recouverts de marbres polychromes, et la coupole de mosaïques représentant le Christ en majesté, des scènes de l'Ancien Testament et le Jugement dernier. On remarquera également dans ce Baptistère une œuvre de Donatello (exécutée avec le sculpteur Michelozzo) : le tombeau de l'anti-pape Jean XXIII (1410-1415).

Dominant le Baptistère, la **cathédrale Santa Maria del Fiore** est un des chefs-d'œuvre de l'architecture italienne ; sa construction s'échelonna de la fin du XIII° siècle au XV° siècle, quand la coupole de Brunelleschi vint couronner l'édifice et mettre la touche finale aux travaux. Ceux-ci furent entrepris en 1296 par Arnolfo di Cambio auquel succéda, après sa mort en 1301, le peintre Giotto qui prit la direction de tous les travaux d'architecture et d'urbanisme de Florence. Élève de Cimabue, Giotto (1266-1337) entreprenait à la même époque la décoration de la chapelle des Scrovegni, à Padoue, qui est considérée comme son chef-d'œuvre. La plupart des fresques qu'il réalisa à Florence sont, hélas, disparues aujourd'hui. Sur cette cathédrale Santa Maria del Fiore, où plusieurs talents se sont exercés, la marque de Giotto est la plus apparente dans le **Campanile** qui porte son nom. Haut de 82 m, il est richement paré d'une marqueterie de marbres polychromes. Sur son piètement, on remarquera les bas-reliefs d'Andrea Pisano et de Luca della Robbia représentant les « Étapes du Travail Humain ». Dans les niches se trouvaient des statues de Donatello, aujourd'hui au musée de la Cathédrale. Compartimenté, le Campanile compte deux étages de fenêtres géminées et, tout en haut, un étage de fenêtres trilobées, sous une corniche à balustrades et à mâchicoulis. On ne s'attardera guère sur la façade qui, malheureusement, a été bâtie à la fin du XIX° siècle ! et n'offre qu'un médiocre pastiche des plans de ses promoteurs originaux (visite du Campanile tous les jours de 9 h à 17 h l'hiver et de 9 h à 19 h l'été ; entrée payante).

La coupole de la Cathédrale est également le résultat d'un concours où

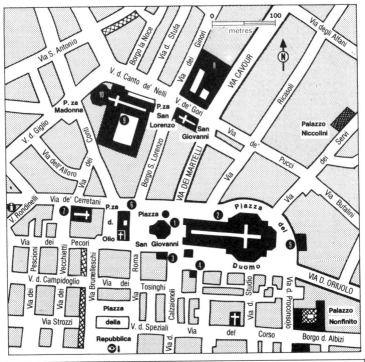

1 - Le Baptistère
2 - Cathédrale Santa Maria del Fiori
3 - Loge de Bigallo
4 - Confrérie de la Miséricorde
5 - Musée des travaux de la cathédrale

6 - Palais de l'Archevêque
7 - Église Santa Maria Maggiore
8 - Palais Medici-Riccardi
9 - San Lorenzo
10 - Chapelle des Médicis

s'affrontèrent les meilleurs architectes de la Renaissance à ses débuts. Comme c'était souvent le cas à cette époque, c'est un sculpteur-orfèvre, Filippo Brunelleschi (1377-1446), et non un architecte, qui remporta le concours en 1417. Une gageure : il fallait fermer par une toiture imposante une ouverture circulaire de plus de 40 m de diamètre. Au lieu d'y poser une voûte romane ou gothique, comme le voudrait la tradition, Brunelleschi rompit avec cette continuité architecturale et conçut une coupole inspirée des ruines antiques qu'il avait été étudier avec Donatello à Rome. Il trouva une solution très audacieuse : une coupole de forme ovoïde et de 90 m de haut, sans charpente, contreforts et arcs-boutants reposant sur un tambour octogonal. Pour lui donner de la solidité, il la dota d'une double paroi

et pour souligner le dessin de sa courbure, il découpa la coupole en huit croisées d'ogives, visibles de l'extérieur ; la pierre blanche tranche avec les tuiles rouges de la couverture et affirme clairement le volume. Tout le monde s'extasiera devant ce tour de force qui ouvrit une ère nouvelle à l'architecture en Italie et vaudra à Brunelleschi de nombreuses commandes et maints éloges comme ceux – un siècle plus tard – de Michel-Ange (« Il est difficile de faire aussi bien. Il est impossible de faire mieux ») et de Vasari (« Ô combien cette œuvre est belle, elle-même dit-le le sait ! »).
Terminée en 1434, la coupole fut surmontée d'une lanterne et d'une sphère de bronze dorée, après la mort de son auteur (entre 1447 et 1461). Pour la petite histoire, c'est le sculpteur Verrocchio qui fondit la sphère, mais elle

22

fut remplacée au XVIIe siècle, après avoir été détruite par la foudre (visite tous les jours, sauf le dimanche, de 10 h 30 à 17 h ; entrée payante ; accès par un escalier de 463 marches dans la nef gauche de la Cathédrale).

La Cathédrale fut consacrée en 1436, deux ans après l'achèvement de la coupole, par le pape Eugène IV. En faisant le tour de l'édifice, on remarquera deux entrées en plus de celles s'ouvrant dans la façade : la *Porte des Chanoines*, au sud, du XIVe siècle et la *Porte de l'Amande* (« mandorla »), au nord, de style Renaissance avec des statues de la Vierge par Nanni di Banco et des Prophètes par Donatello et une mosaïque de D. Ghirlandajo.

L'intérieur de la Cathédrale (visite tous les jours de 10 h 30 à 17 h 30 ; entrée gratuite) : si l'extérieur et notamment la coupole sont de la Renaissance, l'intérieur est gothique avec ses voûtes à croisées d'ogives. Construite selon un plan en croix latine, la cathédrale est dotée de trois nefs particulièrement hautes et spacieuses. Dominant le chœur, la voûte de la coupole (45,50 m de diamètre) est peinte à la fresque représentant le *Jugement Dernier*, œuvre de Vasari et de Zuccari (XVIe s.). Tout le pavement est une marqueterie de marbre des XVI-XVIIe siècles. En déambulant dans la Cathédrale, on remarquera en particulier les *vitraux ronds* (d'après les cartons de Ghiberti, Uccello, Donatello et A. Del Castagno), des fresques sur les murs représentant les condottières à cheval Giovanni Acuto (par Uccello) et Nicolo da Tolentino (par A. del Castagno). On verra également les bustes des constructeurs de la cathédrale : Giotto (par B. da Maiano, XVe s.) et Brunelleschi (par Cavalcanti, XVe s.). La Nouvelle Sacristie fut le théâtre d'un drame : ici se réfugia Laurent le Magnifique le 26 avril 1478 tandis que son frère Julien était assassiné à quelques mètres par les Pazzi. Au début de la nef gauche, l'escalier de 463 marches qui permet de monter à la coupole de Brunelleschi.

Santa Reparata : les fondations de l'ancienne église Santa Reparata (IVe-Ve s.), sur lesquelles a été bâtie la Cathédrale Santa Maria del Fiore, ont été exhumées ; on y accède par un escalier dans la grande nef. On y verra l'ancien pavement et les tombeaux de plusieurs papes, évêques et artistes, dont ceux de Giotto, Brunelleschi, A. Pisano, etc. La pierre tombale du chapelain Lando di Giano, du XIVe s.,

est particulièrement remarquable (visite tous les jours, sauf dimanche, de 10 h 30 à 17 h ; entrée payante).

Musée des Travaux de la Cathédrale *(musée del opera del Duomo)* : au n° 9 de la Place de la Cathédrale s'ouvre le Musée des Travaux de la Cathédrale. C'est à la fois un musée lapidaire et le Trésor de la Cathédrale car on y conserve beaucoup de statues et de bas-reliefs ainsi que de précieux missels, reliquaires et émaux. Parmi les « clous » du musée : la Pieta de Michel-Ange (œuvre de vieillesse qui devait être placée sur la tombe de l'artiste, représenté sous les traits de Joseph d'Arimathie soutenant Jésus). Un grand nombre de sculptures sont l'œuvre de Donatello. Ami de Brunelleschi qui réalisa la coupole de la Cathédrale, Donatello (1386-1466) œuvra beaucoup à Florence, Sienne, Rome et Padoue. Ici, il exécuta pour la Cathédrale plusieurs œuvres majeures : un St Jean, les Prophètes (entre autres la statue d'Habacuc « le chauve », « lo Zuccone ») autrefois installés dans les niches du Campanile de Giotto et la Tribune des Petits Chanteurs. Mais on aura surtout l'attention attirée par la douloureuse Marie-Madeleine, d'un effrayant réalisme (vers 1457). Autres sculpteurs représentés : Arnolfo di Cambio (statue de Boniface VIII et plusieurs madones), Nanni di Banco (St Luc), Nicola Lamberti (St Marc), Andrea Pisano (les Sibylles, David et Salomon), Nanni di Bartolo (St Jean). Le sculpteur-céramiste Luca della Robbia est également l'auteur d'une belle tribune ornée de bas-reliefs représentant des musiciens.

Une salle entière est consacrée aux travaux proprement dits de la Cathédrale et à l'architecte de la coupole, Brunelleschi (dont on verra le masque mortuaire) : plans, maquettes et projets en retracent la construction. À ne pas manquer : les salles consacrées aux objets précieux et sacrés parmi lesquels on admirera des émaux byzantins (XIIe s.) et un retable d'argent des XIVe et XVe siècles où est retracée la vie de St Jean Baptiste (visite tous les jours de 9 h à 18 h l'hiver et de 9 h à 20 h l'été ; le dimanche de 10 h à 13 h ; entrée payante sauf le dimanche).

La loge de Bigallo : sur cette grande place du Duomo et de San Giovanni, au coin de la via dei Calzaiuoli, se trouve la Loggia del Bigallo, de style gothique florentin, attribuée au sculpteur Arnoldo Arnoldi (1361). Cette Loge et le Palais del Bigallo étaient le siège, depuis le Moyen Age, d'une institution de bienfaisance, sorte d'Assistance Publique, la Confrérie de la Miséricorde qui recueillait les enfants abandonnés et les plaçaient dans des familles (elle est installée maintenant dans l'immeuble en face de la loggia du XVIe s. A l'intérieur : terre cuite de della Robbia « Saint Sébastien » de Benedetto de Maiano).

L'Explosion du Char : chaque année à Pâques se déroule la cérémonie de l'Explosion du Char (« scoppio del carro ») sur la Place du Dôme. Cette coutume qui remonte au Moyen Age symbolise la résurrection du Christ. En effet, il était d'usage autrefois d'éteindre tous les feux de la ville du Vendredi Saint jusqu'au dimanche de Pâques à midi. Des jeunes gens appartenant à toutes les familles florentines allaient chercher le feu à la cathédrale dès que le prêtre l'avait rallumé et béni, puis ils revenaient avec des torches en traversant toute la ville pour regagner leurs foyers. Aujourd'hui, cette cérémonie comprend deux cortèges : le premier va de l'église des Saints Apôtres (près du Ponte Vecchio) chercher le feu consacré pour l'amener à la Cathédrale où se déroule l'office du dimanche de Pâques. Le second cortège va prendre le grand chariot supportant toute une pièce montée bardée de pétards et de feux d'artifice et l'amène sur la place de la Cathédrale, devant l'entrée principale du Dôme. On tend alors un fil qui relie le Char à l'autel de la Cathédrale sur lequel glissera une fusée (la « colombina ») qui a la forme d'une colombe. Lorsque le prêtre officiant dans l'église chante le « gloria », c'est le signal. On allume la « colombina » qui fuse jusqu'au char où elle déclenche le feu d'artifice. Tout Florence en entendant le vacarme se réjouit car il annonce, en même temps que le son des cloches battant à toute volée, que le Christ est ressuscité.

A côté du Baptistère : le **Palais de l'Archevêque** (XVIe s.) qui abrite la petite église *San Salvatore nell'Arcivescovado* (1032, façade romane). Donnant sur la Via de'Cerretani, à l'ouest : *l'église Sta Maria Maggiore*, romane et gothique (fresques de Mariotto di Vardo, bas-relief en bois polychrome du XIIIe s. par Coppo di Marcovaldo représentant une « Madone à l'enfant ». Dans la sacristie : « Madone à l'enfant » de Ghirlandajo). Au pied du clocher : buste romain, appelé familièrement « Berta » par les Florentins.

San Lorenzo : derrière le Baptistère, en empruntant le Borgo San Lorenzo, on arrive à l'église San Lorenzo et à la Chapelle des Médicis. Sur la place : *statue de Jean-des-Bandes-Noires* (1540), père de Côme Ier de Médicis. Alors que sa façade est restée très austère et sans ornementation, la basilique San Lorenzo étonne par le raffinement de son architecture intérieure, œuvre de Brunelleschi (l'architecte de la coupole du Dôme) entreprise en 1421 et terminée quarante ans plus tard par son élève Antonio Manetti, pour les Médicis. Cet édifice, et notamment la Vieille Sacristie, comptent parmi les plus grandes réussites de Brunelleschi. Celui-ci s'est inspiré des monuments de l'Antiquité romaine et aussi des édifices les plus prestigieux de Byzance et de l'art roman, tout en restant original et novateur. Il recherche l'harmonie géométrique des surfaces (rondes et carrées) et la claire articulation des volumes ; ainsi dans la Vieille Sacristie, petit édifice à coupole où il a travaillé en étroite collaboration avec le grand sculpteur renaissant Donatello. On ressent une puissante impression de clarté et d'équilibre. Les deux chaires de la grande nef sont de Donatello et sont restées inachevées après la mort de l'artiste en 1466. Au pied du maître-autel, on verra le tombeau de Côme l'Ancien, fondateur de la dynastie des Médicis et proclamé « Père de la Patrie » à sa mort (comme en atteste l'inscription du tombeau). Dans la Vieille Sacristie : buste de St Laurent par Donatello, sarcophages contenant les restes des parents de Côme l'Ancien (Giovanni di Bicci et Piccarda Bueri) ainsi que ceux de ses enfants Jean et Pierre de Médicis (tombeau sculpté par Verrochio). Toujours dans l'église : le tombeau de Donatello et une belle Annonciation de Filippo Lippi dans la Chapelle Martelli.

Un autre architecte et sculpteur génial a travaillé à San Lorenzo et à la chapelle des Médicis : Michel-Ange. On verra d'abord la bibliothèque Laurentienne, qui fut fondée par Côme l'Ancien et à laquelle on accède par le grand cloître attenant à l'église. Elle contient douze mille manuscrits, quatre mille incunables et premières éditions, des milliers d'ouvrages généraux touchant à toutes les disciplines. Parmi ses trésors : le Livre d'heures de Laurent le Magnifique et plusieurs exemplaires de la Divine Comédie de Dante, richement enluminés. On admirera les lutrins, les sièges et le plancher orné d'une marqueterie, dessinés par Michel-Ange.

On ressort par l'église et on gagne par la rue la magnifique **Chapelle des Médicis** (ou Chapelle des Princes) accolée à l'église San Lorenzo, mais dont l'entrée est indépendante. De forme octogonale, la Chapelle est une merveille de raffinement. Construite au XVIIe siècle, elle multiplie les lambris de marbres polychromes incrustés de pierres dures finement travaillées et ornés de bronze doré. Elle exalte la gloire des Médicis devenus Grands-Ducs de Toscane (dans la plinthe, on verra les seize blasons des villes appartenant au Grand-Duché). Ici sont ensevelis plusieurs Grands-Ducs, dont Côme Ier (1519-1574), Ferdinand Ier (1549-1609) et François Ier (1541-1587). Par une porte, on passe dans un couloir et on accède à **la Nouvelle Sacristie** (appelée ainsi car elle fut construite un siècle après la Vieille Sacristie de Brunelleschi). Elle a été entièrement réalisée par Michel-Ange qui en conçut à la fois le plan carré avec une coupole ainsi que la décoration, vers 1520. Le sculpteur est l'auteur des trois célèbres tombeaux : celui de Lorenzo de Médicis, duc d'Urbino avec les statues couchées de l'Aurore et du Crépuscule ; celui de Julien, duc de Nemours avec les statues du Jour et de la Nuit ; enfin, le monument inachevé de Laurent le Magnifique et de son frère Julien avec la Vierge et l'Enfant (visite tous les jours, sauf le lundi,

de 9 h à 14 h, le dimanche de 9 h à 13 h).

De la place San Lorenzo, toujours encombrée par les étals des camelots et proche du marché central, on se rend à la Via Cavour où s'élève **le Palais Medici Riccardi.**

Datant de la première Renaissance, il fut construit à partir de 1440 par Michelozzo (élève de Brunelleschi) pour Côme l'Ancien. On remarquera sa façade sévère toute en pierre de bossage et ses deux étages, dotés chacun de 17 fenêtres géminées inscrites dans des arcs de plein cintre. La cour, agrémentée d'arcades, est un modèle du genre. Aujourd'hui siège de la préfecture, ce palais abrite le **Musée Médicis.** A voir : la Vierge de Filippo Lippi (vers 1450) et le masque mortuaire de Laurent le Magnifique (1449-1492). On monte ensuite à la Chapelle, entièrement recouverte de fresques magnifiques, œuvre de Benozzo Gozzoli, exécutée en 1459. Elles représentent le Cortège des Rois Mages, et Gozzoli s'est amusé à représenter la famille Médicis (en particulier, Laurent le Magnifique a servi de modèle au plus jeune des rois) Dans ce palais, des fresques grandioses ont également été peintes par Luca Giordano en 1683 et représentent l'Apothéose des Médicis (visite du palais tous les jours, sauf le mercredi; de 9 h à 13 h et de 15 h à 17 h ; jours de fête : de 9 h à 12 h).

DEUXIÈME PROMENADE : LA SEIGNEURIE ET LES OFFICES

Avec la Place de la Cathédrale (piazza del Duomo), la **place de la Seigneurie** (piazza della Signoria) est un des centres historiques de la ville et un point de repère indispensable pour s'orienter. Dominée par le **Palazzo Vecchio** (Vieux Palais) – où se trouvaient concentrés les principaux organes de pouvoirs de Florence et notamment la Seigneurie , cette place surprend par sa grandeur lorsqu'on sort du dédale des vieux quartiers environnants. Avec ses nombreuses terrasses de café et ses groupes de touristes, elle est restée le forum de la ville, conservant ainsi sa fonction traditionnelle. C'est ici, en effet, que se déroulèrent tous les grands événements de la ville : luttes fratricides entre Guelfes et Gibe-

lins florentins, supplice du moine dominicain Savonarole, processions religieuses et cortèges somptueux des Grands-Ducs Médicis... Sans parler de ses pittoresques matches de football en costume ancien, le « calcio storico », qui sont le prétexte encore aujourd'hui à de beaux défilés en armures et en vêtements hauts en couleurs, toutes bannières au vent. Sur la gauche de la place : **la statue équestre du Grand-Duc Côme de Médicis**, par Giambologna (1591) et à droite, près du Palais Vecchio, la grande **fontaine de Bartolomeo Amannati** (1575), dominée par la statue de Neptune, en marbre blanc, surnommée familièrement par les Florentins « il Biancone » (le « grand blanc »). A cet emplace-

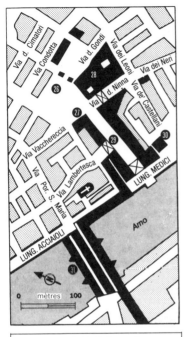

26 - *Place de la Seigneurie*
27 - *Loggia dell' Orcagna (ou Lanzi)*
28 - *Palazzo Vecchio*
29 - *Palais des Offices*
30 - *Palazzo Castellini*
31 - *Ponte Vecchio*

ment fut supplicié le moine Savonarole qui instaura une théocratie à Florence de 1494 à 1498.

Avant de visiter le palais, on passe devant la **Loggia dell'Orcagna** où, sous ses arcades, se trouve un véritable petit musée de la sculpture de la Renaissance. Principaux chefs-d'œuvre : le « Persée » de Benvenuto Cellini (1553) et les deux groupes de « L'enlèvement des Sabines » et d'« Hercule et le Centaure » par Giambologna. Dans cette Loggia se déroulaient de nombreuses réunions et cérémonies civiles (ces arcades de style gothique sont également appelées Loggia dei Lanzi car les lansquenets du Grand-Duc y furent logés autrefois).

Le Palazzo Vecchio

Imposante forteresse médiévale de style gothique, le Palazzo Vecchio fut commencé en 1298 par Arnolfo di Cambio (premier architecte de la Cathédrale), puis agrandi et plusieurs fois modifié par toute une série d'architectes, dont Giorgio Vasari. Au cours des siècles, il reçut plusieurs noms et fut affecté aux plus hautes magistratures, entre autres la Seigneurie et le Grand-Duché. Il s'appela ainsi Palazzo del Popolo, del Comune, dei Priori, della Signoria et enfin Palazzo Vecchio lorsque le Grand-Duc Cosimo Ier décida de déménager au Palais Pitti, de l'autre côté de l'Arno, en 1549. A cette époque, l'architecte Vasari construisit un « couloir » pour relier les deux palais (il passe par les Offices et traverse l'Arno par le Ponte Vecchio). Surmonté d'un beffroi de 94 m à créneaux et à mâchicoulis, le palais est une construction massive aux lignes sévères. Sous le chemin de ronde, on apercevra des blasons peints : ville guelfe (lys rouge), parti guelfe (aigle rouge et dragon), armes du pape (clefs), ville gibeline (lys blanc), etc.

Sur le parvis du Vieux Palais, quelques sculptures célèbres, dont la plupart sont des copies : « Le Lion assis » de Donatello (l'original est au Bargello), « David » de Michel-Ange (original à l'Accademia) et « Hercule et Cacus » de B. Bandinelli. C'est sur ce parvis que se déroulaient la plupart des grandes cérémonies civiles de Florence et l'annonce d'événements politiques importants. Au-dessus de l'entrée, on remarquera le bas-relief polychrome avec deux lions dorés sur fond bleu et le monogramme du Christ.

L'intérieur du Palazzo Vecchio : en pénétrant dans le palais, on accède à une jolie cour intérieure où coule la fontaine du petit génie au poisson, œuvre de Verrocchio (copie). Cette cour a été conçue à la Renaissance par Michelozzo et remaniée au XVIe siècle par Vasari qui fit recouvrir les murs et les colonnes de stucs dorés à l'occasion du mariage du fils de Cosme Ier de Médicis.

Premier étage : l'escalier de Vasari monte au premier étage et accède au somptueux *« Salon des Cinq Cents »* (appelé ainsi car les 500 membres du Grand Conseil s'y réunissaient au XVe siècle). De dimension imposante (50 m de long sur 20 de large et 18 m de haut), ce salon a été aménagé par Cronaca et décoré par Vasari et son école (sur les murs, les Batailles de Cosme Ier et sur le plafond, 39 panneaux représentent l'histoire de Florence et le Triomphe de Cosme Ier). Michel-Ange et Léonard de Vinci devaient contribuer à la décoration du salon, mais, malheureusement, leurs œuvres monumentales se dégradèrent. Parmi les statues qui ornent le salon, on remarquera le groupe de Michel-Ange, « La Victoire du Génie sur la Force brute ». Une petite porte sur le côté du salon donne accès au ravissant *studiolo*, cabinet de travail de François Ier de Médicis, décoré de stucs et de fresques par Vasari (1570-1572).

Occupé aujourd'hui par la Mairie de Florence, le Palais n'est pas entièrement ouvert au public et au premier étage, il n'est guère possible de voir également le *« Salon des Deux Cents »* (fin XVe s.) ou les appartements de Léon X. Ces derniers comprennent une chapelle et six pièces réaménagées par Vasari pour ce pape qui appartenait à la famille Médicis. La salle Léon X est décorée de tableaux représentant différents épisodes de la vie de ce pape ; la chapelle est également ornée de tableaux traitant de la vie du Christ et de ses apôtres ; les autres pièces sont toutes attribuées à des membres importants de la famille Médicis : salle Clément VII, salle Jean des Bandes Noires (père de Cosme Ier), salle Cosme Ier, salle Laurent le Magnifique et salle Cosme le Vieux.

Deuxième étage : on arrive dans l'aile gauche du palais où s'étend *l'Appartement des Éléments*, suite de huit salles dont le nom est emprunté à la fresque de la première pièce décorée ainsi que toutes les autres, par Vasari. On visitera ainsi successivement la

salle des Éléments, dont nous venons de parler, celle de Cybèle et celle de Cérès avec son petit cabinet de travail attenant, puis les salles de Jupiter, Junon et Hercule et enfin la terrasse couverte de Saturne. Par un étroit passage en balcon au-dessus de la salle des Cinq Cents, on accède à l'aile droite du palais et aux *appartements d'Éléonore de Tolède*, épouse de Cosme Ier. Sur la chambre verte donne une petite chapelle décorée par Bronzino. (Dans cette pièce, qui est en fait un vestibule, une porte ouvre sur le passage reliant le Palazzo Vecchio au Palais des Offices, dont nous parlerons plus loin.) Suivent les *salles des Sabines et d'Esther* (en raison des scènes peintes aux plafonds par Giorgio Stradano). Également peinte par Stradano : la *Salle de Pénélope* où une série de fresques narrent les aventures d'Ulysse (dans ces différentes salles, on remarquera également divers symboles héraldiques de Cosme Ier et des Médicis : le capricorne, la tortue avec une voile, des boules). La salle de Gualdrada est intéressante car elle montre différentes manifestations dans la ville à l'époque des Médicis : processions religieuses, jeu de « calcio » (football traditionnel), carrousels, etc. Après la jolie *Chapelle des Prieurs,* on accède à la grande *Salle de l'Audience* où les Prieurs recevaient leurs concitoyens. Sous un magnifique plafond de bois doré s'étalent de grandes fresques représentant des scènes de la vie de Camille, dictateur romain du IVe s. av. J.-C. et diverses allégories. Comme la salle précédente, la *Salle*

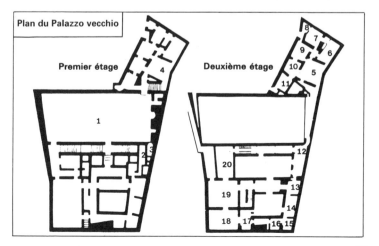

Plan du Palazzo vecchio

Premier étage

Deuxième étage

des Lys possède un beau plafond doré exécuté également par Giuliano da Maiano. Elle doit son nom aux fleurs de lys dorées sur fond bleu qui décorent ses murs. Magnifiques fresques de Domenico Ghirlandajo (1485) représentant l'apothéose de Saint Zénobie et divers héros romains. On termine la visite par la *Salle des cartes géographiques* qui servait en fait de garde-robe à Cosme Ier : elle est tapissée de 53 cartes peintes à la fin du XVIe siècle par le Père Ignazio Danti et par Don Stefano Buonsignori (visite tous les jours, sauf le samedi, de 9 h à 19 h, dimanche et jours fériés de 8 h à 13 h ; entrée payante).

Le Palais des Offices (Uffizi)

On vient du monde entier pour admirer la prestigieuse collection de tableaux des Offices, en particulier les grandes toiles de Botticelli comme le « Printemps » et « La Naissance de Vénus », encore plus magnifiques depuis qu'elles viennent d'être restaurées. A l'origine, ce palais, situé à côté du Palazzo Vecchio, n'avait guère vocation de musée : il avait été construit à la fin du XVe siècle par Vasari sur commande du Grand-Duc Cosme Ier pour installer les bureaux du gouvernement. A la mort de son père, François Ier de Médicis, devenu Grand-Duc en 1574, installe les collections de sa famille au premier étage du Palais des Offices. A la mort du dernier des Médicis régnant (Jean-Gaston décédé en 1737), sa sœur Anne Marie Louise légua toute la collection à Florence, à condition qu'elle ne quittât jamais la ville. On accède aux Offices par la grande colonnade du rez-de-chaussée, garnie de statues de célébrités toscanes comme Dante. Dans le vestibule, où se trouve la billeterie, sont disposées des statues des Médicis. Il faut alors emprunter le monumental escalier de Vasari (orné de statues grecques et romaines), qui mène au

Premier étage : on y découvrira le *Cabinet des dessins* et estampes qui recèle plus d'une centaine de milliers d'œuvres d'artistes européens et plusieurs fois par an, les conservateurs puisent dans ce fonds pour y organiser des expositions thématiques.

Deuxième étage : la galerie : par le vestibule, on accède au long corridor de la Galerie des Offices, dont le plafond est décoré de grotesques et de sujets mythologiques et où sont disposés des sculptures et des sarcophages romains ainsi que des tapisseries flamandes de la Renaissance.

– La Première Salle est consacrée à la sculpture grecque et romaine.

– Salle 2 : les « Primitifs » italiens (peintures des XIIe au XIVe siècles). A voir en particulier : les retables représentant la *Vierge en majesté*, d'une facture très proche, bien qu'ils aient été peints par deux peintres différents, Cimabue (1240-1302) et Le Duccio (1278-1318). A comparer avec la Madone, dans la même salle, de Giotto (1267-1337).

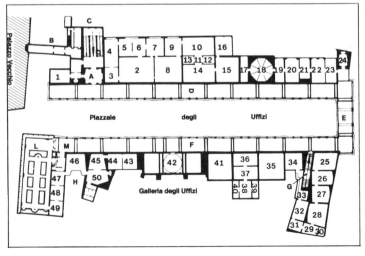

– Salle 3 : la peinture siennoise. Avant d'aller à Sienne, il faut venir admirer ici les œuvres de ses peintres qui décorèrent avec tant de talent ses édifices publics qu'ils obtinrent des commandes en Italie et à l'étranger. Simone Martini (1284-1344), par exemple, dont le *polyptique de l'Annonciation* est le « clou » de cette salle, suivit le pape à Avignon où il fut le chef de file d'une école célèbre : « L'École d'Avignon ». Autres peintres exposés : Ambrogio et son frère Pietro Lorenzetti.

– Salle 4 : les gothiques florentins. Encore une série de beaux retables aux couleurs vives et au fond doré, de style gothique florentin (XIVe s.). En particulier : le *retable du Maître de Ste Cécile*, une madone en gloire de Taddeo Gaddi, un polyptique de Giovanni da Milano.

– Salles 5 et 6 : peinture gothique italienne. A ne pas manquer : l'*Adoration des Mages* de Gentile da Fabriano et celle de Lorenzo Monaco. Un curieux tableau : *la Thébaïde* de Gherardo Starni.

– Salles 7 et 8 : la Première Renaissance (XVe siècle). Avec la Renaissance, les canons de la peinture changent : les peintres s'adonnent à l'art de la perspective et représentent leurs personnages de manière moins hiératique, plus naturelle. Dans la salle 7, on verra les œuvres de Fra Angelico, Masaccio, Domenico Veneziano, Piero della Francesca (le père de la perspective en peinture) et la célèbre « *Bataille de San Romano* » de Paolo Uccello. La salle suivante offre un éblouissant florilège des œuvres de Filippo Lippi (1406-1469), qui fut un des maîtres de Botticelli, dont on admirera surtout « *Le Couronnement de la Vierge* » et « *La Vierge, l'Enfant et deux anges* ».

– Salles 9 à 14 : les Botticelli. Ces salles constituent l'apothéose du musée et contiennent les chefs-d'œuvre de Botticelli (1444 ?-1510). Il ne faut en aucun cas manquer d'aller admirer « *Le Printemps* » (peint vers 1478) et « *La Naissance de Vénus* » (1485) Ces deux grandes toiles furent commandées par Laurent de Médicis, cousin de Laurent le Magnifique, pour sa villa de Castello. Dans le « *Printemps* », récemment restauré, on voit au centre Vénus, au-dessus de laquelle Cupidon envoie des flèches aux Trois Grâces qui dansent à côté de Mercure. A gauche du tableau : une des Heures, la robe fleurie, est conduite par Flore, déesse du Printemps poussée par le souffle du Zéphir. La *Naissance de Vénus*, peinte plus tardivement, devait faire pendant au « Printemps ». Miracle de grâce et de légèreté, la Naissance de Vénus emprunte certainement la pose de la déesse à la statuaire classique. Pudique et pensive, Vénus, debout sur sa nef en forme de coquille, attend qu'une des Heures vienne la couvrir alors que soufflent les Zéphirs. Élève des peintres Filippo Lippi et de Pollaiuolo ainsi que du sculpteur Verrocchio, Botticelli emprunta ses thèmes poétiques à la fois à la mythologie antique et au christianisme. Il fut en effet un croyant fervent jusqu'au fanatisme, car lui-même et ses amis adhérèrent complètement aux idées du moine Savonarole qui mit sur le bûcher livres et œuvres d'art avant d'y passer lui-même en 1489. Heureusement, cette foi ombrageuse ne transparaît pas dans l'œuvre du peintre, d'une exquise légèreté même dans les sujets religieux, comme « *L'Adoration des Mages* » (il y a représenté la famille Médicis : Côme l'Ancien à genoux, Laurent le Magnifique à gauche et son frère Julien à droite ; à l'extrême droite du tableau : Botticelli lui-même, l'air dédaigneux). Autres tableaux du maître : « *L'Annonciation* », « *Judith* », « *Portrait d'un jeune homme tenant une médaille* » (représentant l'effigie de Côme l'Ancien), à l'air mélancolique ; les très gracieuses madones : « *Madone du Magnificat* » et « *Madone à la grenade* », de format rond, ainsi que la grande « *Madone entourée de six Saints* » (où l'on remarquera le pathétique St Jean Baptiste), l'allégorie de « *La Force* » et de « *La Calomnie* », « *Pallas et le Centaure* », etc. Des maîtres de Botticelli, on verra des portraits de Saints et des Vertus par les frères Pollaiuolo. Également présents dans ces salles consacrées à Botticelli : D. Ghirlandajo (1449-1499) qui peignit la vie florentine pendant la Renaissance dans de grands cycles de fresques (de lui, aux Offices, on verra « L'Adoration des Mages » et « La Madone au trône »), Filippino Lippi, fils du grand Filippo Lippi, « *L'Adoration des Mages* », « *St Jérôme* » ; Lorenzo di Credi (1459-1537), « *Vénus* » et « *L'Adoration des bergers* » ; ainsi que les flamands Hugo van der Goes (1440-1482), « *Le triptyque Portinari* » et Rogier van der Weyden (1400-1464), « *La déposition du Christ* ».

– Salle 15 : le XVIe siècle florentin. Parmi les chefs d'œuvre : « *L'Annonciation* » de Léonard de Vinci. On reconnaîtra également la « patte » de Vinci dans un tableau de Verrocchio,

« Le Baptême du Christ », où le petit ange à gauche est de lui. Plusieurs œuvres sur des thèmes de la vie du Christ par Luca Signorelli (1455-1523), élève de Piero della Francesca.

– Salle 16, ou salle des Cartes géographiques : outre les cartes peintes à fresques, l'intérêt de cette salle est d'exposer des œuvres du peintre flamand Hans Memling (1433-1494).

– Salle 17 ou salle de l'Hermaphrodite (appelée ainsi car on y trouve une statue représentant un hermaphrodite de style hellénistique). A voir : « L'Adoration des Mages », triptyque de Mantegna (1431-1506), élève de Donatello et qui exerça son art surtout à Padoue et Mantoue.

– Salle 18 : Tribune de Buontalenti : très belle salle de forme octogonale avec un superbe plafond aménagé par Buontalenti à la fin du XVIe siècle. Elle est surtout intéressante pour ses portraits des Médicis : Côme Ier, son épouse Éléonore de Tolède, son fils François Ier par Bronzino ; Laurent le Magnifique par Vasari, etc.

– Salle 19 : œuvres du Pérugin (1446-1523) et de Luca Signorelli (1441-1523), auteur des fresques de la Cathédrale d'Orvieto qui impressionnèrent beaucoup Michel-Ange.

– Salles 20 et 22 : ces deux salles rassemblent surtout de la peinture allemande (Cranach, Dürer, Altdorfer) et flamande (Luca de Levde, Joos van Clève et Gérard David).

– Salle 21 : à voir : quelques merveilles de la peinture vénitienne de la Renaissance (œuvres de Carpaccio, Cima da Conegliano, Giorgione et Giovanni Bellini).

– Salle 23 : beaucoup de peintures du Corrège (1489-1534), émule de Raphaël et de Vinci. Plusieurs tableaux de cette salle sont d'ailleurs attribués à Raphaël, notamment le portrait d'Élisabeth Gonzague.

– Salle 24 : miniatures du XVe au XVIIIe siècle.

On emprunte à nouveau la galerie pour visiter la deuxième aile des Offices.

– Salle 25 : fleuron de cette salle : « La Sainte Famille » de Michel-Ange, toile de forme circulaire peinte vers 1504 qui est une des seules œuvres peintes de sa période florentine avant d'aller à Rome pour décorer la Chapelle Sixtine. Pour cette sainte famille destinée à la famille Strozzi, Michel-Ange se serait inspiré d'un tableau de Luca Signorelli. Déjà apparaît le goût de

l'artiste pour les formes sculpturales du corps humain nu (personnages dans le fond du tableau).

– Salle 26 : La salle des Raphaël (1483-1520), avec la célèbre « Madone au chardonneret ». Disciple du Pérugin, Raphaël passera seulement 4 ans à Florence avant d'aller à Rome rejoindre Michel-Ange. Durant cette période florentine, il peindra surtout des portraits, dont cette Madone au chardonneret d'une douceur divine.

– Salle 27 : surtout consacrée à Pontormo (scènes de la vie du Christ).

– Salle 28 : on y verra les Titien les plus célèbres, en particulier « La Vénus d'Urbin », « Vénus et Cupidon » et « Flora ». Prisé par les plus grands hommes de son temps, en particulier l'empereur Charles Quint, Tiziano Vecellio, dit Le Titien (1488-1566) régna pendant presqu'un siècle sur la peinture italienne.

– Salle 29 : consacrée surtout aux œuvres du Parmesan (1505-1540).

– Salles 30, 31 et 32 : œuvres de Dosso-Dossi (1489-1542), de Sebastiano del Piombo (1485-1556) et de Lorenzo Lotto (1480-1556).

– Salle 33 : elle forme couloir et recèle des peintres du XVIe s. italiens (Vasari, Bronzino) et étrangers (dont le français Clouet).

– Salle 34 : encore une salle prestigieuse consacrée cette fois à Véronèse (1528-1588) qui connut la célébrité à Venise.

– Salle 35 : la salle du Tintoret (1518-1594), rival à Venise du Titien et de Véronèse.

– Salles 36 à 40 (en cours de réaménagement).

– Salles 41, 43 et 44, consacrées à la peinture hollandaise, avec des œuvres maîtresses de Rubens (1577-1640), Van Dyck, Jan Steen.

– Salle 42 : on y verra des œuvres italiennes (Magnasco, Bellotto) et françaises (Mignard, Largillière) du XVIIIe s.

– Salle 44 : deux grands maîtres du XVIe et XVIIe s. y figurent : le Caravage (1573-1610) avec « Bacchus adolescent » et « Méduse » ; et Rembrandt (« portrait de vieillard », « portrait de jeune »).

– Salle 45 : cette dernière salle clôt la visite des Offices. Elle expose des peintres italiens et français du XVIIIe s., en particulier Antoine Watteau (« le flûtiste »).

(Visite des Offices tous les jours, sauf le lundi, de 9 h à 19 h ; dimanche et fêtes de 9 h à 13 h ; entrée payante.)

A partir des Offices, on peut traverser le **Ponte Vecchio** et se rendre rive gauche (voir p. 35). On pourra, avant, aller visiter le **Palais Castellani** qui renferme le Musée des Sciences.

En repassant par la Place de la Seigneurie et en empruntant la *rue dei Calzaiuoli* (dès Chausseurs), artère élégante de la ville où se trouvent la plupart des commerces de luxe et où, autrefois, Donatello et Michelozzo avaient leurs ateliers, on atteint

L'église d'Orsanmichele (le verger de St Michel)

Elle servait autrefois de grenier et de marché à blé. De style gothique (XIVe s.), elle ressemble davantage à une forteresse qu'à un édifice religieux. Ses anciennes arcades ont été fermées par des portails et des colonnes se terminant par des jolis festons de pierre. Dans les niches extérieures, des statues des saints patrons des corporations ont été réalisées par les plus grands sculpteurs de la Renaissance florentine : Donatello (1386-1466), « St Pierre » dans la niche dédiée à la corporation des bouchers, « St Georges », patron des armuriers, et « St Marc », patron des tisserands et des fripiers ; Ghiberti (1378-1455), « St Mathieu », patron des changeurs, « St Stéphane », patron des lainiers, et « St Jean-Baptiste », patron des marchands de drap ; Nanni di Banco (1374-1421), « St Philippe », patron des tanneurs, « quatre Saints couronnés » pour la corporation des maçons, forgerons et menuisiers, et « St Éloi », patron des maréchaux-ferrants ; Verrocchio (1435-1488), « L'incrédulité de St Thomas », patron des marchands ; Giambologna (1524-1608), « St Luc », patron des avocats et des notaires. Et aussi des œuvres de Ciuffagni (« St Jacques », patron des maroquiniers), Simone Talenti (« La Madone à la rose » pour la corporation des médecins et des apothicaires), et Baccio da Montelupo (« St Jean-Baptiste », patron des marchands de soie et des orfèvres).

A voir à l'intérieur : les fresques du Casentino et de Spinello Aretino (XIVe s.) ainsi que le superbe tabernacle d'Andrea Orcagna (XIVe s.) avec des bas-reliefs représentant des scènes de la vie de la Vierge (visite tous les jours de 8 h à 12 h et de 14 h à 19 h).

TROISIÈME PROMENADE : LE NORD DE FLORENCE
(SAN MARCO-L'ACADÉMIE)

De la place de la Cathédrale (Duomo), on remonte la via dei Servi ; on passe près de la coupole de Brunelleschi (1434), il abritait la corporation des drapiers (c'est le premier bâtiment Renaissance du centre de la ville). On atteint la **Piazza SS. Annunziata,** une merveille de la Renaissance. Elle est bordée au nord par l'**église dell'Annunziata,** dotée d'un cloître où sont enterrés de nombreux artistes, notamment le sculpteur Benvenuto Cellini (l'église a été construite au XIIIe siècle mais fut remaniée par Michelozzo à la Renaissance). Pour entrer dans l'église, il faut d'abord traverser le *Cloître des Vœux,* décoré de nombreuses fresques de Rosso, Andrea del Sarto, Pontormo, Baldovinetti, etc. Pour visiter le *Cloître des Morts,* il faut ressortir et prendre une porte sous le portique (au-dessus de la porte : « La Madone au sac » d'Andrea del Sarto). Voir aussi la chapelle St Luc, ornée de tableaux de Luca Gordano et Vasari. L'intérieur de l'église est richement décoré et doté d'un beau plafond baroque. On y verra des œuvres d'Andrea del Castagno, du Pérugin, Bronzino (crucifix et bas-reliefs de l'autel, œuvre de Giambologna). A gauche, on remarquera le petit temple en marbre de l'Annonciation (d'après un dessin de Michelozzo) où il est de tradition pour les jeunes mariées d'offrir leur bouquet. Ce petit temple aurait d'ailleurs des vertus miraculeuses.

Sur la Place Annunziata, on verra la statue équestre du Grand-Duc Ferdinand Ier par Giambolo et Pietro Tacca (1608) ainsi que les deux petites fontaines de bronze ornées de monstres marins (du XVIIe s.). A l'est de la place :

l'**Hôpital des Innocents** et son beau portique, première architecture de la Renaissance (1420) de Brunelleschi. Dans cet édifice apparaît déjà le style inspiré de l'Antiquité avec ses pilastres cannelés à chapiteaux corinthiens et ses fenêtres surmontées de frontons triangulaires (médaillons d'Andréa della Robbia). Cet hôpital fonctionne depuis sa création comme l'Assistance Publique en France et recueille les enfants abandonnés. Sur la gauche de la galerie, une porte ouvre sur l'*église Sta Maria degli Innocenti,* qui conserve des tableaux de Rosselli, Albertinelli, Sogliani. De la galerie, on peut également aller au *cloître* et voir au premier étage des fresques détachées de l'Hôpital appartenant à l'école florentine de la Renaissance

(œuvres de Bicci di Lorenzo, Domenico Ghirlandajo, Lorenzo Monaco, Giovanni del Biondo, Piero di Cosimo) (visite tous les jours, sauf le mercredi, de 9 h à 14 h ; jours fériés : de 8 h à 13 h ; entrée payante).

A l'ouest, la Place Annunziata est fermée par la galerie à arcades de la Confraternité des Serviteurs de Marie, construite au XVI⁰ siècle par Antonio da Sangallo et Baccio d'Agnolo, et enfin le Palais Mannelli-Riccardi, construit entre 1557-1563, sur un projet d'Ammanati.

De cette place part à l'est, au coin de l'Hôpital des Innocents, la via della Colonna où se trouve **le Musée Archéologique ;** installé dans un ancien palais du XVII⁰ siècle (palazzo della Crocetta), il recèle d'importantes col-

40 - *Coupole de Brunelleschi*
41 - *Hôpital des Innocents*
42 - *Église dell'Annunziata*
43 - *Musée archéologique*
44 - *Galerie de l'Académie*

45 - *Couvent San Marco*
46 - *Chiostro dello Scalzo (Confrérie des Cordeliers)*
47 - *Sainte Apollonie*

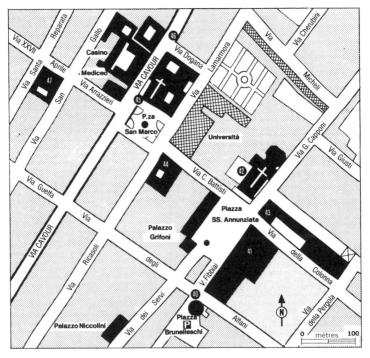

lections d'objets égyptiens, grecs, romains et étrusques. Les antiquités égyptiennes doivent beaucoup à l'archéologue pisan Ippolito Rosellini, qui fut un disciple de l'égyptologue français François Champollion. Une expédition commune franco-toscane eut lieu en Égypte en 1828-29 et aboutit à enrichir notablement le musée florentin en objets égyptiens. On verra sur place à la fois le buste de Rosellini, un grand tableau représentant l'expédition, et le produit des fouilles effectuées par les deux archéologues. Dans la section égyptienne, on admirera, entre autres, le sarcophage de la femme Takerheb (époque ptolémaïque), un char en très bon état du XIVe s. av. J.-C., des statues des pharaons Séti II et Toutmosis III, de nombreuses statuettes et bas-reliefs.

Une des plus belles pièces du musée : le célèbre vase François, chef-d'œuvre de la céramique attique à figures noires (570 av. J.-C.). Importé par les Étrusques, le vase François doit son nom à l'archéologue florentin Alessandro François (1796-1857) qui en découvrit les morceaux à Fonte Rotella di Dolciano, près de Chiusi (entre Pérouse et Orvieto). Ce vase en terre cuite aurait été façonné par le potier grec Ergotimos et décoré par le peintre Clitias. Il a été reconstitué et restauré par le musée en 1973. Destiné à contenir du vin ou de l'eau, il est orné de dessins à « figures noires » représentant des scènes mythologiques se déroulant sur une demi-douzaine de bandes parallèles. On reconnaîtra notamment les scènes de chasse au sanglier, une course de chars menée par Achille en mémoire de Patrocle, la guerre de Troie, Thésée et le Minotaure, les centaures, les pygmées, etc. Ce cratère est important à la fois pour sa taille, la beauté de ses dessins et l'influence qu'il exerça sur les artistes étrusques qui s'en inspirèrent. Les Étrusques occupent une place de choix dans ce musée qui a rassemblé de nombreux objets en provenance des grandes Cités-États de la dodécapole étrusque : Tarquinia, Vulci, Chiusi, Vetulonia, Populonia, etc. On y verra de nombreux petits bronzes et aussi des chefs-d'œuvre de la statuaire étrusque comme la Chimère d'Arezzo (400 à 350 av. J.-C.), qu'admira le sculpteur renaissant Benvenuto Cellini, et la grande statue en bronze de « L'Orateur » (80 av. J.-C.) (musée ouvert tous les jours, sauf le lundi, de 9 h à 14 h ; jours fériés : de 9 h à 13 h ; entrée payante).

Dans cette rue della Colonna, on verra également l'**église Sta Maria-Maddalena dei Pazzi**, du XIIIe s., remaniée à la Renaissance par Giuliano da Sangallo. Elle abrite une fresque célèbre du Pérugin : la « Crucifixion » (vers 1493).

On revient vers la Place Annunziata que l'on traverse pour emprunter la via Battisti débouchant sur la Place San Marco. Sur cette place donnent l'église et le couvent San Marco ainsi que la Galerie de l'Académie.

La Galerie de l'Académie

Elle est célèbre pour ses sculptures de Michel-Ange et en particulier pour son « David », bien mis en valeur par la rotonde du rez-de-chaussée. Élève de Ghirlandajo, Michel-Ange (1475-1564) avait 25 ans lorsqu'il sculpta son David, d'abord en bronze (disparu) puis en marbre, qui orna la Place de la Seigneurie avant d'être remplacé par une copie. Cette œuvre puissante de plus de quatre mètres de hauteur serait le symbole de Florence et de son amour de la liberté. Avant d'arriver à la rotonde du David, on passe par une salle ornée de grandes tapisseries de Bruxelles et de Florence, où on verra quelques belles œuvres de Michel-Ange alignées le long des murs, en particulier « Les Captifs », sculptés vers 1519 et restés inachevés (ils devaient orner le tombeau du Pape Jules II à Rome). Autres œuvres : « Saint Mathieu » (inachevé) et une Pieta. Près du David, ébauches de Giambologna pour « L'Enlèvement des Sabines » et pour « La Victoire de la Vertu sur le Vice ». Cette galerie d'art recèle également de nombreuses peintures de « Primitifs italiens » et de la Renaissance. On verra en particulier : « La Madone et l'Enfant » de Botticelli, « L'Annonciation » de Filippino Lippi, « L'Adoration de l'Enfant » de Lorenzo di Credi et des œuvres de petits maîtres florentins des XIIe et XIIIe s. (visite tous les jours, sauf le lundi, de 9 h à 14 h ; jours fériés : de 9 h à 13 h ; entrée payante).

L'église et le couvent San Marco

Guido di Pietro, plus connu sous le nom de Fra Angelico (1387-1455), y vécut et couvrit les murs des cellules de fresques sublimes. A l'origine, San Marco fut édifié par des moines de St Sylvestre au XIIIe siècle, puis il fut donné aux Dominicains par le pape Eugène IV au XVe siècle. A cette époque, Côme l'Ancien de Médicis (1389-1464) finança les travaux d'agrandissements confiés à l'architecte Michelozzo. Accolé à l'église, le monastère comprend deux étages entourant un cloître. Au rez-de-chaussée se trouvent le cloître St Antonin, l'hospice des pèlerins, le grand réfectoire et la salle capitulaire. A l'étage : les cellules des moines et la bibliothèque. Aujourd'hui, le couvent est un musée à la gloire de Fra Angelico. On pénètre dans le *cloître St Antonin* (nom du prieur du couvent Antonino Pierozzi qui fut archevêque de Florence puis béatifié en 1459). Des fresques de la fin du XVIe s. retracent la vie du saint sur les murs de ce cloître. On y verra aussi *« St Pierre Martyr »* et *« La Crucifixion »* de Fra Angelico. Dans la *salle de l'Hospice* ouvrant sur le cloître sont conservés tous les retables de Fra Angelico et en particulier plusieurs Madones à l'Enfant, entourées de Saints, et plusieurs Annonciations aux teintes fraîches et douces. Voir le grand retable divisé en 34 scènes de la vie du Christ (surtout la scène de la Déposition), le Couronnement de la Vierge et le Jugement dernier. Ouvrant aussi sur le cloître : la salle capitulaire (grande fresque de la Crucifixion par Fra Angelico). Au rez-de-chaussée encore, deux salles, le grand réfectoire et la salle du Lavabo, ont été décorées par des œuvres de Fra Bartolomeo.

Premier étage : deux fresques admirables de Fra Angelico (*« L'Annonciation »* et *« St Dominique adorant la Croix »*). Une quarantaine de cellules, aujourd'hui désaffectées, s'ouvrent sur les couloirs et sont toutes décorées de fresques de Fra Angelico ou de ses élèves. On y admirera : *« Le Christ et Marie-Madeleine »* (cellule 1), *« La Déposition »* (cellule 2), *« L'Annonciation »* (c. 3), *« La Crucifixion »* (c. 4), *« La Crèche »* (c. 5), *« La Transfiguration »* (c. 6), *« Le Christ bafoué »* (c. 7), *« Marie au sépulcre »* (c. 8), *« Le couronnement de la Vierge »* (c. 9), *« La présentation de Jésus au temple »* (c. 10), *« La Vierge à l'Enfant »* (c. 11). Trois colonnes constituent l'ancien appartement de Savonarole, prédicateur dominicain

qui domina le gouvernement de la république florentine de 1494 à 1496. Fustigeant les mœurs qu'il trouvait trop dissolues, faisant brûler livres et œuvres d'art, ce moine rigoriste rêvait d'instaurer à Florence, « ville de Dieu », une théocratie. Il rencontra vite l'opposition d'un peu tout le monde à Florence (qui est dévastée par la peste à partir de 1496). Convaincu d'hérésie, il est excommunié par le Pape et condamné à être brûlé vif. Son supplice eut lieu le 25 mai 1498, place de la Seigneurie. Dans ces trois cellules de San Marco, on verra quelques reliques et documents rappelant Savonarole : son étendard, des écrits, des vêtements, un portrait par Fra Bartolomeo et un tableau représentant son exécution. La cellule 31 était celle de St Antonin auquel le cloître fut dédié. Les cellules 38 et 39 étaient réservées à Côme l'Ancien qui effectua plusieurs retraites ici pour se reposer et méditer (fresque de « l'Adoration des Mages » par Fra Angelico aidé par Benozzo Gozzoli). Dans la bibliothèque, conçue par Michelozzo, sont exposés des missels et psautiers richement enluminés. En redescendant au rez-de-chaussée, on passera par le petit réfectoire magnifiquement décoré par une grande fresque de Ghirlandajo.

Dans le *cloître St Dominique*, au nord du couvent, un petit musée de la Florence ancienne rassemble quelques sculptures et pièces d'architectures provenant de divers travaux sur les grands édifices de la ville. On ne quittera pas San Marco sans visiter *l'église* qui contient un crucifix de l'école de Giotto, une Madone de Fra Bartolomeo et le tombeau de St Antonin (visite du Musée San Marco tous les jours, sauf le lundi, de 9 h à 14 h ; jours fériés de 9 h à 13 h ; entrée payante).

Sur la rue Cavour qui longe l'église à gauche : le **Palais Buontalenti** (actuel siège du tribunal) avec une cour intérieure dotée d'une statue de l'école de Giambologna.

On traverse l'Arno par le **Ponte Vecchio** derrière les Offices, un des six ponts de Florence et le plus célèbre. Il doit cette renommée à ses multiples boutiques qui l'occupent, lui donnant une touche moyenâgeuse : il a en effet été construit au XIVe siècle par Taddeo Gaddi (à cet endroit s'éleva d'abord, vers 50 après J.-C., un pont romain où passait la Via Cassia). Il fut remplacé au IXe siècle par un autre pont qui s'écroula en 1178. Jusqu'au XIIIe s., le Ponte Vecchio fut le seul pont reliant les deux rives de l'Arno et lors de la dernière guerre mondiale, le seul que les Allemands n'aient pas fait sauter à Florence pour protéger leur retraite. Les premières boutiques furent occupées par des bouchers et des marchands qui furent tous remplacés au XVIe s. par les orfèvres. Aujourd'hui, les boutiques des joailliers et des bijoutiers couvrent presque tout le pont à l'exception de deux ouvertures au milieu, et de part et d'autre pour admirer la vue sur Florence. Serrées les unes contre les autres, les maisons au bord du fleuve formaient les quartiers les plus peuplés de la cité. On y voyait travailler les ouvriers du textile (tissage et teinture des draps de laine puis travail de la soie) et passer les gabares sur l'Arno. Navigable depuis sa source, le fleuve permettait d'évacuer vers Pise et la mer les produits manufacturés par Florence et du bois d'œuvre provenant des Apennins pour les chantiers navals pisans. A la remontée, les bateaux amenaient toutes les marchandises importées d'Europe et d'Orient par Pise et notamment la laine, matière première indispensable pour approvisionner les nombreuses manufactures de textile sur lesquelles Florence a bâti sa prospérité. Cet axe de communication était donc vital et on comprend donc pourquoi l'histoire de Florence a été perpétuellement nourrie par les guerres contre les villes riveraines de l'Arno et surtout contre Pise qu'il s'agissait de contrôler pour avoir à la fois la mainmise sur le trafic du fleuve et sur les échanges maritimes en Méditerranée (Pise tomba définitivement sous la tutelle des Florentins en 1406). Au-dessus des boutiques court le corridor de Vasari qui relie le Palais de la Seigneurie et les Offices sur la rive droite au palais Pitti,

résidence des Grands Ducs à partir de Côme 1er, sur la rive gauche.

On emprunte la Via Guicciardini pour se rendre au Palais Pitti. Au passage on visitera la petite **église Santa Felicita**, plusieurs fois remaniée avant les travaux définitifs du XVIIIe s. (chapelle de Brunelleschi avec une Déposition de Pontormo, Sacristie avec une Madone de Taddeo Gaddi) et on verra le **Palais Guicciardini** (XVe et XVIIe s.). La rue débouche alors sur la grande Piazza dei Pitti où s'élève

Le Palais Pitti

Imposant édifice dominant une vaste esplanade, il fut la résidence des Grands-Ducs de Florence à partir de Côme 1er, en 1558. Il abrite un des plus grands musées d'art en Italie, qui possède, entre autres, des œuvres majeures de la Renaissance italienne (Titien, Raphaël, Véronèse, Tintoret, Lippi, etc.), et d'autres écoles européennes, flamande en particulier (Rubens, Van Dick). A l'origine, le palais était beaucoup plus petit, il avait été construit pour le banquier Luca Pitti en 1458, sur un dessin de Brunelleschi (l'architecte de la Coupole du Dôme de Florence). D'importants travaux d'agrandissements furent entrepris lorsque le palais fut racheté à la mort du banquier par Eléonore de Tolède, épouse de Côme 1er. On le dota d'une grande cour et on le relia au Palais de la Seigneurie, sur la rive droite, par une étroite galerie qui emprunte le Ponte Vecchio pour passer le fleuve Arno. Dans les siècles qui suivirent, les Médicis allongèrent encore la façade et dotèrent le palais de deux grandes ailes. Malgré toutes ces modifications, il reste typique de l'architecture florentine à la Renaissance : avec sa façade austère avec des moëllons qui forment un bossage et ses portes et fenêtres massives ; il évoque davantage une forteresse qu'un palais d'agrément. Cette architecture imposante devait tenir compte à la fois du haut rang de la famille qu'il abritait ainsi que de sa sécurité en des temps troublés où les guerres civiles faisaient rage. Sur la façade, on remarque les deux types de bossage : celui que constitue l'ensemble en suivant des lignes horizontales, et celui des arcs de plein cintre entourant les fenêtres. L'intérieur avec ses lambris dorés, ses fresques et ses stucs contraste par son faste et son exubérance avec l'extérieur. On visitera la Galerie Palatine, les Appartements Royaux, le Musée de l'Argenterie, la Galerie d'art moderne et les Jardins Boboli.

La Galerie Palatine (collection d'œuvres d'art des Médicis) : Protecteurs des arts, les Médicis ont accumulé dans cette galerie plus de 500 tableaux, dont certains sont considérés comme des sommets de la peinture tels la *« Madone au Grand-Duc »* de Raphaël, le *« Concert »* de Giorgione ou *« La Madeleine »* de Titien. On y accède par une porte à gauche de la façade, et on monte au 1er étage. La Galerie Palatine comprend une vingtaine de salles dont la plupart ont été décorées de stucs et de fresques de Pietro da Cortone (XVIe s.). Leur nom est lié aux personnages de la mythologie représentés sur les plafonds.

– *Salle de l'Iliade* : décorée de fresques représentant des scènes de la guerre de Troie (XIXe s.), cette salle possède de très nombreux portraits de la famille Médicis ainsi que des toiles de maître sur des thèmes religieux (« Baptême de Jésus » par Véronèse, « L'Assomption de la Madone » d'Andrea del Sarto) ou laïques (« portrait de gentilhomme » et « Bachanale » du Titien, « portrait de femme enceinte » de Raphaël).

– Contiguës à la salle de l'illiade, de petites pièces : *salle de l'Éducation de Jupiter* (œuvres de Van Dyck, Clouet, Carlo Dolci, Véronèse), *salle du poêle* (fresques de Pietro da Cortona représentant les quatre âges du monde : âge de l'or, de l'argent, du cuivre et du fer) et *salle de bain d'Elisa Bacciochi* (sœur de Napoléon 1er et Grande Duchesse de Toscane).

– *La Salle de Saturne* : elle mériterait de s'appeler « Salle Raphaël » car elle contient quelques grands chefs-d'œuvre du « divin » Raffaele Sanzio (1483-1520). Élève du Pérugin, Raphaël fut l'ami de Fra Bartoloméo et l'admirateur de Masaccio. De 1504 à 1508, il est à Florence qu'il quittera bientôt pour aller décorer les célèbres « Loges » qui portent son nom dans le nouveau palais du Vatican, à la demande du pape Jules II. Pendant sa période florentine Raphaël peint d'exquises madones dont celles du Palais Pitti : « La Vierge à la Chaise » sur une toile ronde et surtout « La Vierge du Grand-Duc », appelée ainsi car Ferdinand II de Médicis en raffolait tellement qu'il l'emmenait toujours avec lui en

voyage. Autres peintures de Raphaël dans la salle : les portraits du cardinal Dovizi, d'Angelo et de Maddalena Doni, de Tommaso Inghirami, « La

32 -	*Église Santa Felicita*
33 -	*Palais Pitti*
34 -	*San Felice*
35 -	*San Spirito*
36 -	*Santa Maria del Carmine*
37 -	*Palazzo Lanfredini*
38 -	*Casa di Bianca Cappello*
39 -	*Forteresse du Belvédère*
A -	*Amphithéâtre du jardin*
B -	*Fontaines de Neptune*
C -	*Palazzetto del Belvédère*
D -	*Isolotto*

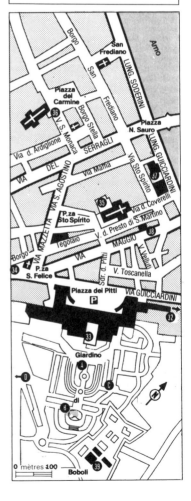

Vierge au baldaquin », « La Vision d'Ezéchiel ». A côté des œuvres de Raphaël, on verra aussi celles de peintres comme le Pérugin (« La Madeleine »). Sodoma, Annibal Carrache, le Guerchin, Andrea del Sarto (« La Dispute »), Fra Bartoloméo.

– *Salle de Jupiter* : Cette salle possède également une grande œuvre de Raphaël : « la femme voilée » ainsi que des tableaux du Perugin (« L'adoration de l'Enfant »), du Guerchin (« La Sainte Famille »). Quelques peintures flamandes : « La Sainte Famille » de Rubens (qui a peint également « Les nymphes assaillies par les satyres »).

– *Salles de Mars, Apollon et Vénus* : Ces trois salles contiennent une majorité d'œuvres de la Renaissance vénitienne et surtout des chefs-d'œuvre du Titien (Tiziano Vecelli 1490-1576) : portraits du Pape Jules II, de l'Arétin, « portrait d'une belle inconnue » (salle de Vénus), « Portrait d'homme inconnu » (salle d'Apollon) portraits du médecin Andrea Versalio et du cardinal Hippolyte de Médicis (salle de Mars), et des tableaux à thème religieux çomme « L'Adoration des enfants », « Ecce Homo », « La Madeleine ». Autres peintres vénitiens : Tintoret (« Vénus, Vulcain et des Amours »), Giorgione, ami du Titien (« Le Concert »), Palma le Vieux (« La Cène »), Véronèse (« portrait de Darillo Barbaro »). Quelques peintures flamands sont exposés dans ces trois salles et notamment Rubens et Van Dyck. Deux tableaux célèbres du peintre espagnol Murillo (1618-82) : « La Madone au Rosaire » et « La Madone à l'Enfant ».

Les salles suivantes sont intéressantes par leur décoration mais ne recèlent pas de chefs-d'œuvre : Salle Castagnoli (du nom du décorateur. Table en marquèterie de pierres dures), salle des Allégories (stucs du XVIIe s., portraits de la famille Médicis), salle des Arts (fresques du XIXe s.), salle d'Hercule (fresques du XIXe s.), salle des tambours (meubles du XIXe s. en forme de tambours), Galerie Poccetti (du nom du décorateur. Belle table en pierres dures. Tableaux de Rubens, Pontormo, Poussin).

– *Salle de Prométhée*. Belles toiles de l'école italienne et en particulier : un portrait de femme de Botticelli, une « Madone à l'Enfant » de Filippo Lippi, « Ecce Homo » de Fra Bartolomeo, « Bacchus » de Guido Reni, et divers œuvres de Pontormo et del Sarto.

– *La Salle d'Ulysse*. On y verra surtout

« La Sainte Famille » de Raphaël et diverses œuvres de Guido Reni, Carlo Dolci, Filippino Lippi, et du Tintoret (« Madone à l'Enfant Jésus », « portrait du Grand Chancelier de *Venise* »).

On revient par la salle de Prométhée et on emprunte la Galerie des Colonnes (tableaux flamands), qui conduit à

– *La Salle de Justice*, consacrée à la Renaissance vénitienne : œuvres de Titien (« Le *Rédempteur* », portraits de gentilhomme et de Tommaso Mosti) du Tintoret (« Vénus, Vulcain et Amours », « La Madone à l'*Enfant* » et deux portraits) Véronèse (« Le Baptême du *Christ* »).

– *Salle de Flore*. « Vénus », sculpture de Canova, et œuvres de Bronzino, Pontormo, Sebastiano del Piombo, Andrea del Sarto.

– On arrive à la *Salle des Chérubins* (œuvres de l'école flamande) et on termine la visite de la Galerie Palatine par les *salles de l'Aurore*, de Bérénice et de Psyché, où sont accrochées diverses œuvres de petits maîtres de l'école italienne. (visite tous les jours, sauf le lundi, de 9 h à 14 h. Jours fériés de 9 h à 13 h. Entrée payante).

Les Appartements royaux : (Attention, ces appartements sont souvent fermés aux visiteurs). Ils comprennent une dizaine de pièces d'apparat où résida le roi d'Italie Victor-Emmanuel II lorsque la capitale du royaume était Florence (de 1865 à 1871). On remarquera en particulier la grande salle blanche destinée aux bals et aux cérémonies officielles, ornée de lambris en stuc blanc et où pendent deux immenses lustres de cristal. Dans toutes les pièces : beau mobilier ancien (tapisseries françaises des Gobelins du cycle « l'histoire d'Esther » porcelaine de Chine, horloges et candélabres du siècle dernier, etc.).

La Galerie d'Art Moderne : Créée en 1860, la Galerie rassemble dans les anciens appartements du Grand-Duc Léopold II un large choix de tableaux italiens du XIXe siècle de style néo-classique. (Visite tous les jours, sauf le lundi de 9 h à 14 h. Jours fériés : de 9 h à 13 h. Entrée payante).

Le Musée de l'Argenterie : Le nom de ce musée est impropre car il expose les merveilles de la bijouterie, de l'orfèvrerie et du mobilier réunies par les Médicis et qui n'utilisent pas seulement l'argent mais aussi l'or, le bois, les pierres précieuses et semi-précieuses, l'ivoire, l'ambre. Dans de très belles salles peintes de fresques en trompe-l'œil du XVIIe siècle, on remarquera de nombreux secrétaires incrustés de pierres dures, des gobelets et des aiguières en cristal taillé ou en vermeil, des plateaux en argent repoussé (notamment celui de Cellini représentant le « Triomphe d'Amphitrite »), des tables en mosaïque de marbre, des crucifix et reliquaires incrustés de pierres précieuses, etc. Dans la salle des Camées et dans celle des Bijoux d'Anne Marie de Médicis, des vitrines exposent une superbe collection de camées de la Renaissance (en particulier celui en onyx blanc sculpté par Antonio de Rossi en 1575 représentant la famille de Côme 1er). Parmi les belles pièces du musée : la cassette en plaques sculptées de cristal de roche et en argent, œuvre de l'orfèvre Valério Belli et du sculpteur Benvenuto Cellini pour le Pape Clément VII au XVIe siècle. Ces scènes sculptées représentent la vie du Christ et se déroulent sur 24 compartiments. Autre chef-d'œuvre : l'ex-voto en mosaïque représentant le Grand-Duc Côme II priant (l'artiste s'est servi de jaspe, de pierre d'Égypte, de calcédoine, d'émail, d'or et de... trois cents diamants !). (Visite : tous les jours, sauf le samedi, de 9 h à 14 h. Jours fériés : de 9 h à 13 h. Entrée payante).

Le Musée de la Porcelaine : (il ne se trouve pas dans le palais Pitti mais dans le petit Palazzina del Cavaliere, dans les Jardins Boboli). Il abrite des vaisselles, vases et bibelots divers de porcelaine précieuse provenant de divers manufactures européennes mais aussi de Chine et du Japon. (Visite : tous les jours, sauf le lundi, de 9 h à 14 h. Jours fériés : de 9 h à 13 h. Entrée payante, couplée avec l'entrée au Musée de l'Argenterie).

Deux autres musées dans l'enceinte du Palais Pitti : la *Collection Contini-Bonacossi* (objets et mobilier rares ainsi qu'une collection de tableaux de Bellini Véronèse, Duccio, del Gastagno, Goya et Velasquez. Visite sur requête auprès du secrétariat des Offices) et la *Galerie du Costume*, tous deux au petit palais de la Méridienne, dans les Jardins Boboli. Enfin, on peut visiter également le *Musée des Carrosses*, dont l'entrée est à gauche du Palais Pitti (en venant de l'extérieur) : belle collection de carrosses et berlines anciennes du XVIe au XIXe siècles (notamment les carrosses du roi de Naples Ferdinand et de Catherine de Médicis).

Les Jardins Boboli : Venant de la Place Pitti et pénétrant dans le Palais par la grande entrée, on traverse la *cour intérieure* d'Ammannati (fin XVIe s.) ; on y verra la « Grotte de Moïse », avec la statue du Prophète. Dans les grandes occasions, cette cour était inondée et on y organisait de fastueux combats navals (naumachies), comme dans les cirques au temps de la Rome antique. Au-dessus s'élève « *La Fontaine de l'Artichaut* » (XVIIIe s.). A droite, sous le portique de la cour, une petite chapelle ornée de fresques (autel en mosaïque et croix de Giambologna). A flanc de colline, les Jardins Boboli ont été dessinés à l'italienne au XVIe siècle par Tribolo. A gauche, la *« cour de Bacchus »* où a été édifiée une curieuse fontaine représentant Bacchus enfant juché sur une tortue (il s'agirait, en fait, de la représentation d'un nain qui faisait office de bouffon à la cour de Côme 1er). Au bout de l'allée : la *grotte de Buontalenti*, décorateur qui prit la succession de Tribolo dans l'aménagement des jardins. Dans un décor rocaille, des répliques des « captifs » de Michel-Ange ont été disposées ainsi qu'un groupe de sculpture représentant Pâris et Hélène. Dans les jardins, on verra également, le *Grand Amphithéâtre* entouré de statues et de vases (au milieu : bassin de granit provenant des Thermes de Caracalla à Rome, surmonté par un obélisque égyptien), le pavillon du belvédère (vue magnifique sur Florence), le Jardin du Chevalier et la Place de l'Îlot (fontaine de l'Océan par Giambologna).

La Forteresse du Belvédère : Dominant le Palais Pitti et les Jardins Boboli, elle a été construite par Buontalenti à la fin du XVIe siècle à la demande du Grand-Duc Ferdinand 1er. Comme les forteresses de Vauban, en France, celle du Belvédère est construite en étoile avec plusieurs niveaux de terrasses dotées de bastion pour les pièces d'artillerie. Elle est également surmontée par une belle demeure seigneuriale où pouvaient se réfugier le Grand-Duc et sa famille en cas de conflit extérieur ou de révolte de ses sujets. Aujourd'hui, cette forteresse sert de galerie pour de grandes expositions artistiques.

Le Palais Pitti est un excellent point de départ pour effectuer deux circuits touristiques sur la rive gauche de l'Arno ; vers l'est et la Place Michel-Ange, vers l'ouest et les églises Santo Spirito et del Carmine.

Vers l'ouest : églises San Spirito et del Carmine

Du Palais Pitti partent de nombreuses rues où se multiplient les boutiques d'antiquaires et les ateliers d'ébénistes d'art : rues Maggio, Mazetta, dei Serragli, Santa Monaca, Borgo Stella, etc.

On commencera la visite par le **Musée des sciences naturelles de la Specola**, au bord de la via Romana, près de l'aile gauche du Palais Pitti. Fondé en 1775 par le Grand-Duc Léopold, il abrite une grande collection d'animaux naturalisés et de moulages de cire (anatomie humaine). (Visite le mardi et le jeudi de 9 h à 12 h, le dimanche de 9 h 30 à 12 h 30).

Sur la Piazza San Felice, en face, s'élève l'**église San Felice**, gothique avec une façade de la Renaissance par Michelozzo. (Crucifix de l'école de Giotto, « Madone à l'Enfant » de Ridolfo del Ghirlandajo, triptyque de Néri di Bicci). Sur cette place : la **Maison Guidi**, dernière résidence d'Élisabeth Barrette (1806-1861), femme du poète britannique Robert Browning. Elle même poète, Élizabeth a consacré une de ces œuvres à cette maison florentine (« Les fenêtres de la Casa Guidi », 1851).

On emprunte ensuite la rue Maggio qui file vers l'Arno et le Pont Santa Trinita. Dans cette rue, le **Palais Buontalenti**, du XVIe s., maison de Bianca Cappello qui fut la maîtresse de François 1er de Médicis, marié à Jeanne d'Autriche, avant d'épouser à son tour le Grand-Duc de Toscane. Avec cette idylle, Bianca Cappello, se fit de nombreux ennemis, même dans le clan Médicis, et en particulier le cardinal Ferdinand de Médicis qui fut soupçonné d'avoir empoisonné son frère, le Grand-Duc, et Bianca Cappello lors d'un banquet à Poggio en 1587.

On prend sur la gauche la via Santo Spirito qui passe devant le *Palais Lanfredini* (XVe s., façade de Baccio d'Agnolo), puis on gagne la Piazza Santo Spirito où s'élève l'église **Santo Spirito** conçue par Brunelleschi mais construite après sa mort en 1446 par Antonio Manetti et Salvi d'Andrea, non sans y avoir apporté d'importantes modifications. La façade est sobre, couverte d'un crépi clair et percée d'un œil-de-bœuf. A côté de l'église s'élève le *clocher* de Baccio d'Agnolo (1503-17). L'intérieur est imposant par sa coupole et ses hautes colonnades divisant le plan, en crois latine en trois nefs. Au bout de la nef centrale, on verra le *maître autel baroque* avec son baldaquin supporté par des colonnes, œuvre de Caccini (1608). Dans le bras droit du transept, on admirera « *La Madone à l'Enfant* » de Filippino Lippi, le sarcophage de Neri Capponi par Bernardo Rossellino (1458), puis en continuant la visite par la gauche, on pénètre dans l'abside pour y voir une « Madone » de l'école de Lorenzo di Credi (XVIe s.). Bras gauche du transept : « *La Madone à l'Enfant* » de Cosimo Rosselli, et dans la Chapelle du Sacrement, superbe autel de marbre du Sansovino avec des bas reliefs représentant des scènes de la vie du Christ et des Saints. Sous l'orgue, un beau vestibule conçu par Cronaca (fin XVe s.) mène à a *Sacristie*, réalisée d'après les dessins de Giuliano da Sangallo (1492). A côté de l'église : cloître d'Ammanati (fin XVIe s.) sur lequel donne la Chapelle Corsini (tombes du XIVe au XVIIes).

Sur la place Santo Spirito : le **réfectoire de l'ancien Couvent Santo Spirito** conserve des vestiges de fresques d'Orcagna (XIVe s.) représentant la dernière Cène et la Crucifixion. Cet édifice abrite également la **Fondation Salvatore Romano**, grand antiquaire qui y a rassemblé de nombreux objects précieux et des sculptures de grands artistes comme Donatello et Jacopo della Quercia. Eglise di Santo Spirito et Fondation Romano (ouvertes tous les jours, sauf le lundi, de 9 h à 14 h. Jours fériés : de 8 h à 13 h. Entrée payante). Sur la place également : le **palais Guadagni**.

Par la via S. Agostino et la via Santa Monaca, on débouche sur la Piazza del Carmine où s'élève l'église **Santa Maria del Carmine** ; détruite par un incendie en 1771, cette église du XIIIe siècle a été reconstruite à la fin du XVIIIe siècle. Son intérêt ne réside pas dans son architecture mais dans son extraordinaire cycle de fresques du XVe siècle, œuvre de Masolino (1383-1440) et de son élève Masaccio (1401-1428) à laquelle a travaillé également, mais beaucoup plus tard, Filippino Lippi (1457-1504), fils de Filippo Lippi. Par le temps qu'il y passa et par le nombre de fresques qu'il y peignit, Masaccio, dont on conserve peu ou pas d'œuvres en dehors de cette église, est, en fait, le maître de la chapelle Brancacci. (Dans le bras droit du transept de l'église), comme Michel-Ange fut celui de la Chapelle Sixtine à Rome. Les œuvres de Masaccio eurent une très grande influence sur Filippo Lippi, Botticelli et Michel-Ange qui vint souvent admirer cette chapelle. Pour la petite histoire : Michel-Ange, venu admirer l'œuvre de Masaccio, eut le nez cassé lors de l'altercation qu'il eût dans cette chapelle avec son camarade Torrigiano.

On remonte la grande nef de l'église et on se rend dans la *Chapelle Brancacci* (du nom du riche marchand florentin qui en finança les fresques en 1425), dans le bras droit du transept. On commencera par regarder les fresques se déroulant en haut de la chapelle, depuis le côté gauche jusqu'au côté droit.

1. L'envoyé du Paradis (Masaccio).
2. Le Christ offre un poisson à St Pierre (Masaccio).
3. St Pierre paie le tribut avec des pièces (Masaccio).
4. La prédication de St Pierre (Masolino).
5. St Pierre baptise (Masaccio).
6. St Pierre guérit les infirmes (Masaccio).
7. St Pierre ressuscite Tabita (Masolino).
8. La tentation d'Adam et Ève (Masolino).
9. La visite de St Paul à Pierre au cachot (Lippi).
10. St Pierre ressuscite le petit-fils de l'Empereur (Masaccio et Lippi).
11. Le sermon de St Pierre aux carmélites (Masaccio).
12. St Pierre guérit un malade (Masaccio ; le personnage au bonnet à gauche de St Pierre représente Masolino).
13. St Pierre et St Jean faisant l'aumône (Masaccio).
14. La crucifixion de St Pierre (Lippi).
15. St Pierre et St Paul devant le proconsul Agrippa (Lippi, qui s'est lui-même représenté dans le personnage situé à l'extrême droite du tableau).
16. Un ange délivre St Pierre (Lippi).

Dans le bras gauche du transept, on verra également une *Chapelle Corsini*, baroque, avec des fresques sur la voûte de Luca Giordano. Par la sacristie (polyptique de la Madone), on accède au Cloître des Morts (du XVIIe s.), au réfectoire (Cène du Bronzino) et au Museo dal Carmine (œuvres de Lippi et de Starnina) (visite de l'église tous les jours de 7 h à 12 h et de 16 h à 18 h).

Près de l'église se trouve la maison natale de Filippo Lippi (30 via dell'Ardiglione).

Parallèle au quai de l'Arno, le Borgo San Frediano passe devant la place del Cestello (petit panier) où s'élève l'église **San Frediano in Cestello,** ba-

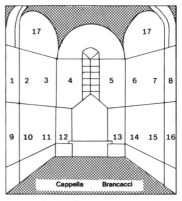

Cappella   Brancacci

roque du XVIIe s. surmontée d'une coupole avec une lanterne. (A l'intérieur : fresques de la coupole par Gabiani, du XVIIIe s., statue en bois polychrome de la « Madone au sourire » du XIVe s. et « Crucifixion », peinture du XVe s. par Jacopo del Sellaio).

Par les quais allant vers l'ouest (Lungarno Soderini), on longe l'Arno et on arrive au pont moderne Amerigo Vespucci puis à la *Porte San Frediano,* construite au XIVe siècle par Andrea Pisano.

En prenant le Borgo San Frediano vers l'est, puis le Borgo San Jacopo, on arrivera au Ponte Vecchio. Peu avant, on verra l'église San Jacopo sopr'Arno, romane mais remaniée au XVIIIe s., ainsi que plusieurs palais dont celui des Frescobaldi.

Vers l'est :
la Piazzale Michelangelo

Pour se rendre du Palais Pitti à la Place Michel-Ange, il faut rejoindre les quais de l'Arno et le Ponte Vecchio par la Via Guicciardini. On oblique ensuite à droite par la via dei Bardi et la via San Nicolo. Dans cette dernière rue s'ouvre sur la petite Piazza dei Mozzi, le **Musée Bardini**. Au rez-de-chaussée, statues étrusques, romaines et toscanes. Au premier étage : bas-reliefs de Donatello et petite galerie de peinture (œuvres du Tintoret, Luca Giordano, le Guerchin, Tiepolo, etc.). (Visite tous les jours, sauf le mercredi, de 9 h à 14 h, jours fériés : de 8 h à 13 h. Entrée payante).

Sur la place Demidoff, toute proche : le *Palais Serristori* (du XIVe siècle, par Taddeo Gaddi) est une ancienne demeure des Médicis.

En revenant sur la Via San Nicolo, on arrive à l'église **San Niccolo so-**

pr'Arno, des XVe et XVIe siècles (portail et tour Renaissance). En continuant toujours vers l'est on tombe sur la **Porte San Niccolo** (du XIVe s. par Andrea Orcagna) qui était en fait une tour de guet faisant partie de l'enceinte de Florence des deux côtés de l'Arno, entre 1284 et 1333. C'est la seconde enceinte construite par la commune au moyen âge ; elle a été renforcée par des bastions pendant la Renaissance (notamment par Michel-Ange). Les restes de cette muraille sont toujours visibles et grimpent les hauteurs pour rejoindre la Forteresse du Belvédère. Autrefois, au bord de l'Arno, les moulins de San Niccolo fournissaient leur énergie aux ateliers de textiles de la ville.

De la place Poggi où s'élève la tour près de l'Arno, un sentier piétonnier assez raide monte la colline et conduit à la **Piazzale Michel-Angelo** ; construite sur les hauteurs, la Piazzale offre une vue superbe sur Florence. Plusieurs restaurants, bars et guinguettes s'y sont installés et attirent toujours la foule des touristes venus en car. Au milieu de la place, un monument a été érigé en l'honneur de Michel-Ange où on reconnaîtra une réplique de son David et des statues du Jour, de la Nuit, de l'Aurore et du Crépuscule. Dominant la place, la belle église Renaissance San Salvatore al Monte, construite par Cronaca en 1475 contient des tableaux de la Renaissance et une belle terre cuite de Della Robbia : « La Déposition ». En montant la rue Galilée, partant de la place, on arrive à **L'Église San Miniato** ; avec le Baptistère, cette église est le seul édifice de style roman à Florence (XIe au XIIIe s.). La façade et l'intérieur sont entièrement recouverts par une marqueterie de marbre blanc et vert formant des motifs géométriques. Sur cette façade on remarquera une mosaïque du XIIIe s. représentant le Christ bénissant Marie et San Miniato et, tout en haut, un aigle (plutôt qu'une croix), emblème de la puissante corporation des marchands de draps « calimala » et de leur patron St.-Jean Baptiste. A l'intérieur, divisé en trois nefs, on admirera le pavement de marbre marqueté de la nef centrale (1207), avec des motifs représentant les signes du zodiaque, des lions et des colombes. On visitera la jolie *chapelle de Michelozzo* (de la Renaissance), la *sacristie* ornée de fresques du XIVe s. représentant la vie de St.-Benoît par Spinello Aretino, la chaire du chœur toute en marbre (XIe s.), l'abside avec des mosaïques du XIIIe s. (fenêtres en albatre translucides) et enfin la *Chapelle du Cardinal Jacques du Portugal* (tombeau par Rosselino, médaillons de la voûte par della Robbia et fresque de l'Annonciation par Baldovinetti).

Près de San Miniato, en empruntant la via Galilei, on passe près de la **Torre del Gallo** où l'illustre savant Galilée utilisa son télescope et effectua ses découvertes en astronomie ; un peu plus loin, d'ailleurs, a été édifié l'**Observatoire moderne d'astrophysique d'Arcetri**. En revenant sur le Palais Pitti, on passe devant l'église. **San Leonardo d'Arcetri**, du XIe s. (belle chaire et triptyque de Lorenzo di Niccolo, à l'intérieur). Au lieu d'aller jusqu'au fort du Belvédère, on fera le tour par le sud et par la viale Machiavelli jusqu'à l'extrémité-ouest des Jardins Boboli : sur la place, belle **Porta Romana**, édifiée en 1326.

56 - *Musée Bardini*
57 - *San Niccole sopr'Arno*
58 - *Porte San Niccolo*
59 - *San Salvatore Al Monte*
60 - *Église San Miniato*

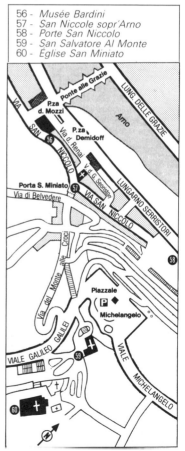

De la place du Dôme, on descend vers l'Arno par la via del Proconsolo. Au coin du borgo degli Albizzi : *le Palais inachevé* (Palazzo nonfinito, XVIe s.), siège du **Musée d'Anthropologie et d'Ethnologie.** Fondé au siècle dernier, ce musée fut le premier du genre en Italie. Il contient des objets rapportés de tous les continents (à l'Institut d'Anthropologie : belle collection de crânes du monde entier) (visite tous les samedis de 9 h à 13 h ; entrée gratuite).

A droite : le Borgo degli Albizzi se prolonge en prenant le nom de *via del Corso* (rue de la Course), car au moment des grandes fêtes comme la St Jean, patron de Florence, une course de chevaux barbes (arabes) y était organisée, comme celle qui se déroule toujours à Sienne : le Palio. Dans cette même rue : le **Palais Salviati** (XVIe s., siège actuel de la Banque Toscane) à l'emplacement du Palais des Portinari, famille à laquelle appartenait Béatrice, chantée par Dante. Deux tours s'élèvent également dans la rue : elles dépendaient des palais des Donati, grande famille guelfe (favorable au Pape contre l'Empereur) dont le chef Corso Donati s'illustra dans la guerre contre Arezzo en 1289, puis fit expulser les Florentins favorables à l'Empereur, en particulier le poète Dante, en 1302. Enfin, toujours via del Corso, on verra sur la petite place Sta Elisabetta, la Torre La Pagliazza (dont le nom évoque la « paille » des cachots, cette tour faisant autrefois office de prison).

On revient à la via del Proconsolo qu'on descend vers le fleuve. En face du Palais inachevé, au coin de la rue degli Albizzi, s'élève le **Palais Pazzi,** commencé en 1430 par Brunelleschi et terminé en 1472 par Giuliano da Maiano (il appartenait à la famille des Pazzi qui se rendit célèbre par la fameuse conjuration contre Laurent de Médicis, en 1478. Ils tentèrent de l'assassiner dans la Cathédrale mais ne réussirent qu'à tuer son frère Julien. La répression fut terrible : tous les conjurés furent pendus aux fenêtres du Palazzo Vecchio).

A droite débouche la petite rue Dante Alighieri ; là s'élève la **Maison de Dante** (1265-1321) où serait né le poète, auteur de « La Divine Comédie » (visite tous les jours, sauf le mercredi, de 9 h 30 à 12 h 30 et de 15 h 30 à 18 h 30 ; jours fériés de 9 h 30 à 12 h 30 ; entrée libre). A côté, on verra la **Torre della Castagna** (tour de la Châtaigne) qui fut la résidence, à la fin du XIIIe siècle, du Prieur des Arts (corporations) car, à cette époque, le Palazzo Vecchio n'avait pas encore été construit pour recevoir les Prieurs, hauts magistrats gouvernant Florence (il sera bâti à partir de 1299 seulement). En face de la tour : l'**église San Martino** où, dit-on, le poète Dante Alighieri se maria avec Gemma Donati (fresques de l'école de D. Ghirlandajo à l'intérieur).

La via del Proconsolo débouche ensuite sur la belle place allongée San Firenze au bord de laquelle s'élèvent l'église de la Badia Fiorentina (abbaye florentine), le Palais du Bargello, le Palais Gondi, le couvent de San Firenze et le Palazzo Vecchio (dont on ne voit que le dos).

L'église de la Badia : dominée par un beau clocher effilé, de style à la fois roman et gothique, l'église de la Badia a été construite au temps de la comtesse Wilma, mère du marquis Ugo de Toscane (Xe s.). Elle a subi d'importantes modifications, en particulier au XVIIe siècle, si bien que l'intérieur en forme de croix grecque est surtout baroque (le plafond a été dessiné par Matteo Segaloni en 1625), alors que la plupart des œuvres qu'elle renferme sont de la Renaissance ; en particulier les tombeaux sculptés par Mino da Fiesole (tombeaux du comte Ugo et de Bernardo Giugni) et par Bernardo Rossellino (tombeau de Giannozzo Pandolfini) ainsi que la peinture de Filippino Lippi (« l'Apparition de la Vierge à St Bernard »). Dans une petite chapelle, à gauche de l'église, belles fresques d'un élève de Giotto. Voir aussi le Triptyque d'Orcagna. On se rend à la Sacristie qui donne sur le « Cloître des Orangers » (XVe s.) décoré de fresques de la même époque.

En face de la Badia, le **Palais du Bargello,** dominé par un haut beffroi, ressemble à une forteresse médiévale. Construit au XIIIe siècle, il fut successivement la demeure du Capitaine du Peuple (1255), du Podestat (1260) puis, en 1574, celle du Capitaine de Justice *(Bargello)* dont le nom est resté au palais. Le beffroi, haut de 57 m, est appelé « La Volognana » et date également du XIIIᵉ s. Après le Palais de la Seigneurie (Palazzo Vecchio), le Bargello fut l'édifice public qui joua le plus grand rôle dans le gouvernement de Florence. Aujourd'hui, il est devenu le **Musée National,** consacré entièrement à la sculpture florentine (Michel-Ange, Donatello, Verrochio, Cellini, etc.). On entre par la *Salle d'Armes* (armes orientales ayant appartenu aux Médicis) et on passe dans la cour, construite aux XIIIᵉ et XIVᵉ siècles par Neri di Fioravanti et Benci di Cione (qui ont également bâti la Salle du Conseil).

Cette cour très imposante est entourée sur trois de ses côtés par une galerie voûtée alors que le quatrième est occupé par un escalier à l'air libre donnant accès à la galerie du 1ᵉʳ étage.

Dans la galerie du rez-de-chaussée et sur les murs de la cour sont accrochés les blasons des podestats et des hauts magistrats de Florence. Au même niveau, on visitera :

– *la salle Michel-Ange.* Elle contient quelques belles œuvres du maître (1475-1464) : un « Bacchus » de 1496 considéré comme une de ses premiè-

28 - Palazzo Vecchio
48 - Maison de Michel-Ange
49 - Santa Croce
50 - Bibliothèque Nationale
51 - Musée Horne

52 - Convento di San Firenze
53 - Église de la Badia
54 - Palais du Bargello
55 - Maison de Dante

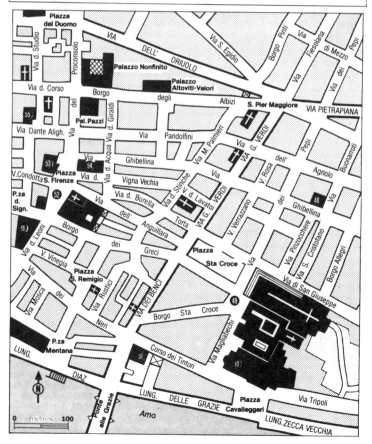

res œuvres, « La Vierge à l'Enfant », de 1504, « David » de 1530, « Buste de Brutus » de 1539, « Le Martyr de St André », etc. Dans cette salle, on verra également des œuvres de Sansovino (« Bacchus ivre »), Benvenuto Cellini (« Persée libérant Andromède », Mercure, Minerve, Jupiter, Persée, Narcisse. Apollon et Hyacinthe, un buste de Côme Ier, etc.), Giambologna (« Victoire de Florence sur Pise »).

– *Dans la cour* : œuvres du Bernin, de Lamberti, Tribolo, Ammannati, Giambologna, etc. (on remarquera au milieu de la cour le puits qui servit souvent de montant pour l'échafaud où on procédait à des exécutions capitales).

– *La salle du XIVe siècle* : œuvres d'Arnolfo di Cambio, Paolo di Giovanni et Tino da Camaino (« Vierge à l'Enfant ») ainsi que des sculptures provenant de l'église de la Badia.

On monte l'escalier et on arrive à la galerie du premier étage où sont exposées des sculptures animalières de Giambologna (1524-1608), mais aussi un beau « Mercure » en bronze.

– *La salle du Conseil général*, immense pièce de style gothique dont les plus belles sculptures sont des œuvres de Donatello (1386-1466), en particulier son « David » et aussi « St Georges », « St Giovannino », « St Jean », « le Marzocco » (lion, emblème de Florence), etc. Autres sculpteurs : Luca della Robbia (1400-82) dont sont exposées plusieurs terres cuites, Michelozzo (1396-1472), Ghiberti (1378-1455), Desirio da Settignano (1428-1464), Agostino di Duccio (1418-81).

– *Salle de la tour* : exposition de sceaux anciens, de cristaux de Bohême et de Venise, de tapisseries et peintures françaises anciennes.

– *Salle du Podestat* : elle contient surtout des objets en émail d'origine française (croix, reliquaire), des bijoux et quelques tableaux, dont « le changeur et sa femme », œuvre du flamand Marin de Roymerswa (1540).

– *La chapelle du Podestat*, avec des fresques attribuées à Giotto (« le Paradis » avec le portrait de Dante). Psautiers enluminés par Lorenzo Monaco et Giovanni dal Monte.

– *La salle des ivoires* qui recèle une des plus riches collections d'Italie (objets provenant de toute l'Europe et de l'Orient).

– *Salle de l'orfèvrerie toscane* : objets religieux anciens (reliquaires du

XIIIe s., calices et ciboires, croix processionnelles, etc.).

– *Salle des majoliques* contenant des plats, bassins, vases, etc., en faïence de la Renaissance provenant de Florence, Urbin, Pesare, Faenza.

On monte ensuite au 2e étage et on arrive à :

– *la salle d'Andrea delle Robbia* où l'œuvre la plus connue est la « Madone des architectes » (1475).

– *Salle de Verrochio* (1435-88) dont on ne manquera pas de voir le *« David »* qu'on comparera avec celui de Donatello à l'étage au-dessous. Encore de Verrocchio : des terres cuites (« Résurrection » ; un buste de Pierre de Médicis, etc.). Maître d'atelier de Botticelli et de Léonard de Vinci, Verrocchio aurait peut-être réalisé avec ce dernier la belle « Dame au bouquet de violettes », buste en marbre qui représenterait en fait Lucrèce Donati, maîtresse de Laurent le Magnifique. Autres sculpteurs représentés dans cette salle : Antonio del Pollaiolo (1429-1498), Rosselino (1427-1478), Mino da Fiesole (1431-1484).

– *La salle de la Cheminée* : petits bronzes italiens du XVe au XVIIe siècle (Tribolo, Giambologna, le Riccio).

– *Salle d'armes* (armes et armures des Médicis. Collection d'armes orientales).

(Visite tous les jours, sauf le lundi, de 9 h à 14 h ; jours fériés de 9 h à 13 h ; entrée payante.)

Sur la Piazza Firenze, on remarquera, à l'ouest, le **Palais Gondi**, de la Renaissance (1494, par Giuliano da Sangallo) et en face, l'actuel **Palais de Justice,** ancien couvent des Philippins (façade du XVIIIe s.) flanqué de deux églises baroques.

Après la Piazza San Firenze, la Via del Proconsolo se prolonge jusqu'à l'Arno par la Via dei Leoni et la Via de'Castellani. Au bout s'ouvre la petite place des Giudici di Ruota (Juges de la Roue), où se trouve le **Musée de l'histoire de la Science** *(museo di storia della Scienza)* dans l'ancien Palais Castellani (du XIVe s.). Une grande collection d'objets scientifiques d'une grande valeur artistique a été rassemblée par les Médicis puis par les Ducs de Lorraine pour leur propre usage et pour celui des savants qui leur étaient attachés, comme **Galilée** (1564-1642). A la fois mathématicien, physicien et astronome, originaire de Pise, celui-ci passa une bonne partie de sa vie à

Florence et notamment à Acetri, près de St Miniato où il expérimenta son télescope. Dans ce musée, on verra la lentille qui permit au savant d'observer pour la première fois les satellites de Jupiter (elle a été artistiquement montée dans un encadrement d'ivoire sculpté) ainsi que des microscopes, dans leur étui de cuir frappé d'or, appartenant au même savant. Rarissime : la grande sphère armillaire d'Antonio Santucci della Pomatance (1559) entièrement plaquée d'or fin, qui figure le mouvement des astres dans l'univers suivant le système de Ptolémée (la Terre est le centre du monde). Rappelons que Galilée nia cette théorie, alignée sur la Bible, et eut ainsi des ennuis avec l'Inquisition, parce qu'il s'était rallié au système de Copernic (pour qui la terre tourne autour du soleil). Sortant du Tribunal où il avait dû renier ses convictions pour avoir la vie sauve, Galilée murmura : « Et pourtant elle tourne ! »...

Dans la salle de géographie : vieux portulans, globes terrestres, astrolabes et horloges solaires (notamment celles de Stefano Bonsignori qui a peint, au XVIe s., la « Salle des Cartes » du Palazzo Vecchio).

Le musée recèle aussi de nombreux et insolites instruments de mesure en verre que des artisans de Venise vinrent souffler à Florence pour la fameuse Accademia del Cimento, fondée en 1657, après la mort de Galilée, par le Grand-Duc Ferdinand II de Médicis et son frère Léopold, qui rassembla beaucoup de savants. A voir aussi : un rarissime globe terrestre arabe du premier millénaire, un nécessaire en ivoire appartenant à une grande duchesse de Médicis qui comporte des jumelles, une boîte à thé, un porte-plume et un encrier ; et enfin le cabinet de chimie du Grand-Duc Pierre-Léopold de Lorraine (flacons contenant de la laque et diverses essences de plantes). C'est lui, passionné de sciences, qui fonda en 1775 le Musée des Sciences de la Specola, près du palais Pitti (visite tous les jours, sauf le dimanche et les jours fériés, de 9 h à 13 h ; les lundis, mercredis et vendredis de 14 h à 17 h ; entrée payante).

En suivant les quais de l'Arno, sur la rive droite, on arrive au Ponte alle Grazie et à la Via dei Benci. Dans cette rue s'élèvent le Palais Bardi (du XVe s., attribué à Brunelleschi) et le **Musée Horne,** au coin du Corso dei Tintori (teinturiers). Installé dans le Palais des Alberti (du XVe s., attribué à Giuliano

da San Gallo), ce musée contient les riches collections léguées à la ville en 1916 par l'écrivain d'art britannique Percy Horne : meubles et tapis, tableaux de Lippi, Simone Martini, Lorenzo di Credi, etc. (visite tous les jours, sauf le dimanche, de 9 h à 13 h ; entrée payante).

On continue le Corso dei Tintori jusqu'à la Via Maglia Bechi et la Piazza Cavaleggeri où se trouve **la Bibliothèque Nationale** (XXe s.). Elle contient des milliers de manuscrits, livres, lettres, cartes de géographie, autographes d'hommes célèbres, de partitions musicales anciennes, etc.

En remontant vers le nord, on arrive à la **Piazza Santa Croce,** bordée par plusieurs palais (Serristori-Cocchi, au n° 1, du XVe s. par Baccio d'Agnolo ; dell'Antella, au n° 21, du XVIIe s. par Giulio Parigi). Sur cette place de la Sainte Croix se réunissaient autrefois les prédicateurs, les jouteurs et les premiers footballeurs de l'histoire (joueurs de « Calcio fiorentino »). On y pratiquait aussi la « Joute du Sarrasin » (comme à Arezzo aujourd'hui), véritable tournoi où des cavaliers devaient frapper un mannequin de leur lance.

Sur l'esplanade, un monument à la mémoire de Dante (du XIXe s.) est installé près de l'église des Franciscains.

Santa Croce : elle a été construite à la fin du XIIIe siècle par Arnolfo di Cambio, architecte du Palazzo Vecchio et d'une partie de la Cathédrale de Florence. Elle est devenue un des panthéons de l'Italie car elle contient les sépultures de Michel-Ange, Machiavel, Rossini, etc. C'est aussi un grand musée artistique car on y verra – entre autres – de célèbres fresques de Giotto et d'admirables sculptures de Donatello.

La façade est récente ainsi que le campanile (XIXe s.). L'intérieur, à trois nefs, est construit sur un plan en croix égyptienne (en forme de « T »). A l'origine, tous les murs étaient peints par Giotto et son école, mais au XVIe siècle, Vasari remania tout l'intérieur et fit disparaître la plupart des fresques pour y aménager des autels baroques.

On commencera la visite par le côté droit de la nef.

1 – Sur le premier pilier : délicieuse « Vierge du lait » (1478), bas-relief d'Antonio Rosselino, auteur du tombeau du cardinal de Portugal à San Miniato.

2 – Tombeau de Michel-Ange (1564) par Vasari.

3 – Mausolée de Dante (XIXe s.) dont la dépouille est à Ravenne.

4 – Tombeau de l'écrivain Alfieri (XIXe s.) par Canova.

5 – Sur le troisième pilier, à droite de l'église : magnifique *chaire de Benedetto da Maiano* (1442-1497), ornée de figures des Vertus et de scènes de la vie de St François en bas-reliefs.

6 – Tombeau de l'écrivain Nicola Machiavel, auteur du « Prince » (1469-1527), par Spinazzi (1787).

7 – Fresque de Domenico Veneziano.

8 – *Tabernacle de pierre filigrané d'or par Donatello* (1386-1466), génial sculpteur de la Renaissance. Avec beaucoup d'élégance et de délicatesse, le sculpteur a réalisé pour ce tabernacle une Annonciation qui s'inspire de la statuaire de l'Antiquité, en la sublimant. (Donatello est inhumé dans l'église des Médicis, San Lorenzo, où il a également sculpté quelques chefs-d'œuvre).

9 – Tombe de l'historien Leonardo Bruni par Bernardo Rosselino, XVe s. (Bernardo est le frère d'Antonio Rosselino qui a sculpté la « Vierge du lait » déjà citée).

10 – Tombeau du musicien Gioacchino Rossini (1792-1868), auteur – entre autres – de l'opéra « Le Barbier de Séville ».

Arrivant dans le bras droit du transept, on verra la

11 – *Chapelle Castellani,* décorée de fresques d'Agnolo Gaddi, élève de Giotto, qui a représenté des scènes de la vie de St Nicolas de Bari, de St Antoine ainsi que le martyre de Ste Appolonia (du XIVe s.). Devant l'autel de l'école de N. Pisano, tabernacle de Mino da Fiesole, croix de N. Gérini (XIVe s.).

12 – *Chapelle Baroncelli* décorée de fresques du XIVe s. représentant des scènes de la vie de la Vierge par Taddeo Gaddi (sur l'autel : « Madone à l'enfant », tableau de l'école de Giotto).

13 – On passe par le corridor de Michelozzo (1434) pour pénétrer dans la sacristie (14) (armoires marquetées du XVe s., fresques de Taddeo Gaddi, Pietro Gerini et Spinello Aretino, du XIVe s.). Au bout du corridor de Michelozzo, chapelle du Noviciat (tabernacle de Mino da Fiesole, terre cuite d'Andrea della Robbia).

15 – *Chapelle Rinuccini,* au fond de la sacristie : fresques du XIVe s. par Giovanni di Milano représentant des scènes des vies de la Vierge et de Marie-Madeleine (sur l'autel, retable du XIVe s. par Giovanni del Biondo, « Madone à l'Enfant avec des sains »).

16 – *Chapelle des Velours (velluti).* Fresques de l'archange St Michel par des élèves de Cimabue (sur l'autel : polyptique de Giotto, « Couronnement de la Vierge », de 1330).

17 – *Chapelle Riccardi :* fresques du XVIe s. de Giovanni di S. Giovanni, « scènes de vie de St André ».

18 – *Chapelle Bonaparte* (avec les tombes de Julie Clary et de Charlotte, nièce de l'empereur Napoléon Ier).

19 et 20 – *Chapelles Peruzzi et Bardi.* Les plus belles et les plus célèbres de Santa Croce. Entièrement décorées de fresques de Giotto di Bondone (1266-1337), appelé plus simplement Giotto. Comme dans la basilique d'Assise ou dans la chapelle Scrovegni de Padoue, l'ancien berger formé par Cimabue peint des fresques où éclate son amour de la nature, avec la même foi naïve de son aîné et du modèle qui l'a inspiré : St François d'Assise (ce dernier n'a-t-il pas composé une « Prédication aux Oiseaux » célèbre, qui commençait par « mes biens chers

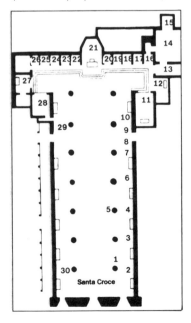

frères les oiseaux... » ?). Cette vision nouvelle et plus humaine du monde et de la foi chrétienne rompt complètement avec la tradition byzantine qui influençait alors tous les artistes du temps de Giotto. Après Giotto, on ne peindra plus guère de grandes figures du Christ ou des saints rigides et sévères, comme sur les mosaïques de Ravenne ou de Venise. On y mettra des arbres et des oiseaux tandis que les personnages représentés exprimeront des sentiments humains et prendront des poses plus simples et naturelles.

Les fresques de la *chapelle Peruzzi* ont été dégagées au siècle dernier du badigeon qui les recouvrait. Sur le mur de droite, on admirera le cycle de fresques consacrées à St Jean l'Évangéliste, peintes vers 1320 (Vision de l'île de Patmos, St Jean ressuscite Drusiane, Ascension du Saint). Sur le mur à droite, cycle de St Jean-Baptiste (Saint Zacharie et l'Ange, Naissance de St Jean, Zacharie écrit le nom de son fils, le festin d'Hérode). Dans la *Chapelle Bardi*, cycle de fresques consacré à St François d'Assise et aux Franciscains (Saint François reçoit les stigmates et deux médaillons représentant Adam et Ève. Sur le mur de gauche : l'approbation de la règle de l'Ordre des Franciscains, L'épreuve du feu devant le Sultan, Vision de St Augustin et de l'évêque Guido d'Assise. Dans la voûte : les Vertus Franciscaines de la chasteté et de l'obéissance, ainsi que la fresque de La Gloire de St François. Sur le mur de gauche : Apparition pendant la prédiction d'Arles et surtout les Funérailles de St François.) Sur l'autel : retable du XIIIe s. représentant des scènes de la vie de St François par Berlinghieri

21 – *Grande chapelle du chœur* (chapelle des Alberti) : fresques d'Agnolo Gaddi (1380), « La Légende de la Sainte Croix », polyptique sur l'autel de Niccolo Gerini (XIVe s.), « La Vierge à l'enfant », crucifix de l'école de Giotto.

22 – *Chapelle Tolosini* : vestiges de fresques de Giotto, dont une « Assomption de la Vierge », polyptique sur l'autel de Giovani del Biondo (1372), « La Vierge avec les Saints ».

23 – *Chapelle Benci* : tableaux modernes d'Andreotti, « La Pieta ».

24 – *Chapelle Ricasoli* : œuvres du XIXe s. (vie de St Antoine).

25 – *Chapelle Pulci-Bardi* : fresques de Barnardo Daddi (1330) représentant les martyrs de St Laurent et de St Stéphane. Sur l'autel, terre cuite de Gio-

vani della Robbia (XVIe s.).

26 – *Chapelle Bardi di Vernio* : fresques de Maso di Banco, élève de Giotto, « vie de St Sylvestre » (XIVe s.).

27 – *Chapelle Bardi* qui contient le crucifix en bois de Donatello (1425). Cette œuvre lui attira les foudres de Brunelleschi qui trouva que le Christ ressemblait à un paysan ! Aussi l'architecte décida-t-il de sculpter lui-même un crucifix, qui se trouve maintenant dans l'église Santa Maria Novella.

28 – *Chapelle Salviati*, « Martyr de St Laurent » par Ligozzi (1600). Tombe du musicien Luigi Cherubini.

29 – Tombeau de l'humaniste Carlo Marsuppini, œuvre de Desiderio da Settignano (XVe s.).

30 – Tombe du savant Galilée (1564-1642). Au mur : fresques du XVIIIe s. (Visite de l'église tous les jours de 7 h 30 à 12 h 30 et de 15 h à 18 h 30.)

En ressortant de l'église, on se rend à **la Chapelle des Pazzi**, précédée d'un cloître du XIVe s. Cette chapelle est un très gracieux édifice de la Renaissance édifié par Brunelleschi (1377-1446), architecte de la fameuse coupole de la Cathédrale de Florence et de l'hôpital des Innocents. Conçue vers 1430, cette chapelle est de plan rectangulaire et couverte d'une coupole coiffée d'un lanternon. La façade est précédée d'un porche et surmontée d'une galerie. Sur ce porche, on remarquera la frise en bas-relief de Desiderio da Settignano représentant des chérubins et les décorations en terre cuite de Della Robbia, auteur également du « St André », au-dessus du portail. A l'intérieur, les murs sont égayés aussi par des médaillons du même artiste représentant les Apôtres. A l'extérieur, un deuxième cloître, aménagé par Brunelleschi.

Le Musée de Santa Croce, dans le réfectoire du couvent, est décoré de fresques de Taddeo Gaddi (XIVe s.) et recèle l'admirable crucifix de Cimabue (XIIIe s.) (visite tous les jours, sauf le mercredi, de 10 h à 12 h 30 et de 14 h 30 à 18 h de début mars à fin septembre et de 10 h à 12 h 30 et de 15 h à 17 h d'octobre à fin février ; entrée payante).

De Santa Croce, on emprunte la Via dei Pepi vers le nord, jusqu'à la Via Ghibelina. Au coin de cette rue et de la Via Buonarotti se tient **la Maison de Michel-Ange** ; s'y déroulent de nombreuses expositions temporaires révélant différentes facettes du génie de l'artiste, comme celle qui était consacrée à Michel-Ange architecte. On y verra plusieurs œuvres de jeunesse du sculpteur (« la bataille des centaures contre les Lapithes », « la Madone de l'escalier »), des ébauches pour le « David », des copies de ses chefs-d'œuvre, des dessins, des manuscrits, des portraits et divers souvenirs se rapportant à l'artiste (visite tous les jours, sauf le mardi, de 9 h 30 à 13 h 30 ; entrée payante).

De la Via Ghibellina, on revient sur la Via dei Pepi qu'on remonte jusqu'à la via Pietrapiana. A gauche : **la Piazza San Pier Maggiore**, au cœur de la Florence médiévale, où habitait la puissante famille Donati (dont le fameux Corso Donati qui fit exiler le Poète Dante). Sur le Borgo degli Albizzi, on verra le Palais Alessandrini et le Palais des Albizzi (XVIe s.) qui appartenait à une autre famille importante de Florence. Un peu plus loin : le palais Altoviti-Valori décoré de sculptures représentant Dante, Boccace, Petrarque, Guichardin, etc., et surnommé par les Florentins « il Palazzo dei Visacci » (le palais des tristes figu-

res). Autres palais : ceux de Matteuci Ramirez de Montalvo (XVIe s.) et de Vitali.

En revenant à la Piazza San Pier Maggiore et en empruntant la rue Pietrapiana, on arrive à une place dominée par une galerie et plusieurs boutiques au milieu : cette « **Galerie du petit poisson** », construite par Vasari au XVIe siècle, abrite aujourd'hui des brocanteurs qui forment une sorte de « marché aux puces » *(mercatino delle pulci)*.

Au bout de la rue, la place San Ambrogio est dominée par une église du même nom. Plusieurs fois remaniée, **l'église San Ambrogio** conserve un calice miraculeux (il se remplit de sang en 1230) dans un tabernacle conçu par Mino da Fiesole, qui y fut enterré en 1483 (voir également les fresques de Baldovinetti, de Rosselli et de Nardo di Cione). Par la via de Pilastri et la via Farini, on passe devant la **Synagogue**, de style oriental, construite au siècle dernier (à l'intérieur : fresques et mosaïques) (pour la visiter, appeler le 245.252).

SIXIÈME PROMENADE : L'OUEST DE FLORENCE
(ÉGLISE OGNISSANTI - SANTA MARIA NOVELLA)

De la Place de la République, on emprunte la via Calimala et sur la gauche : le Palais de l'Art de la Laine *(palazzo dell'Arte della Lana)*, du XIVe s., ancien siège de la puissante corporation des Lainiers. C'est une grande tour à créneaux, comme les forteresses du Moyen Age. La rue Calimala débouche sur le **Marché Nouveau**, halle ouverte à colonnes, de la Renaissance. On lui a donné cette épithète pour le distinguer de l'Ancien Marché, qui fonctionna jusqu'à la fin du siècle dernier sur la Place de la République. Devant, on verra la « fontaine du porcelet » (un sanglier en bronze qui est la réplique d'une statue antique conservée aux Offices). La fontaine est toute patinée à force d'avoir été touchée par les visiteurs (qui considèrent qu'elle porte bonheur et les fera revenir à Florence). Le marché était autrefois le centre du commerce de la soie et de l'or ; aujourd'hui on y vend des objets artisanaux et des « souvenirs » pour touristes. Au milieu de la halle, sur le sol est enchâssée une dalle de marbre ronde où on fouettait autrefois les commerçants malhonnêtes.

Prolongeant la via Calimala, la via Por Santa Maria conduit au Ponte Vecchio. Sur une petite place, on verra l'église San Stefano (du XIIIe s.) dont l'intérieur a été remanié au XVIIe s. par Pietro Jacca. Sur le côté droit de la rue Por Sta Maria : deux maisons-tours du XIVe siècle, dont l'une appartenait aux Amidei (La Bigonciola, appelée aussi « Tour des Lions »).

Via delle Terme se trouve l'ancien **Palais du Parti Guelfe**, du XIVe s., remanié par Brunelleschi au XVe s. et par Vasari au XVe s. Occupé par les Guelfes (partisans du Pape) qui dominèrent Florence, il servit surtout à entasser les biens de leurs adversaires Gibelins (partisans de l'Empereur) lorsqu'ils furent bannis de Florence.

Un petit détour par le sud permet d'aller voir **l'église des Saints Apôtres** qui se trouve Borgo SS Apostoli. Construite au XIe s., elle est dotée d'une façade du XVIe s. L'intérieur à trois nefs avec ses colonnes de marbre vert aurait inspiré Brunelleschi. On y verra des vestiges de fresques du XIVe s., un tabernacle de Giovanni della

Robbia, des tombes du XIVe au XVIe s. On y conserve des pierres ramenées de Terre Sainte au cours des croisades : chaque année on s'en sert comme briquet, en les frappant, afin d'allumer les flambeaux du Samedi Saint puis le « Charriot » qu'on fait brûler le jours de Pâques.

On remonte à la Via Porta Rossa où s'élève **Le Palais Davanzati**, transformé en musée et qui est l'exemple typique de la demeure d'un riche commerçant du XIVe siècle. Dans ce **Musée de la Maison Florentine Ancienne** (*Museo della Casa Fiorentina Antica*), on verra de beaux meubles, tentures et tapisseries, notamment dans les salles des paons et des perroquets (« Venus » de Lorenzo di Credi, dans la chambre nuptiale). Visite tous les jours, sauf le lundi, de 9 h à 14 h. Jours fériés de 9 h à 13 h. Entrée payante.

A côté, la **Tour des Foresi** (XIIIe s.), une des dernières de 150 tours d'habitation que comptait Florence à cette époque.

La rue Porta Rossa débouche sur la **Place Sainte Trinité** au centre de laquelle se dresse une colonne provenant des Thermes de Caracalla à Rome. Surmontée d'une statue de la Justice, elle fut édifiée à la demande de Côme 1er après sa victoire à Montemurlo (en 1537) contre une faction florentine menée par le banquier Filippo Strozzi. Autour de la place, on verra de beaux palais : **Bartolini-Salimbeni** (de la Renaissance, sur un projet de Baccio d'Agnolo), **Spini-Ferroni** (de la fin du XIIIe s.), à l'aspect de château-fort, **Buondelmonti et Gianfigliazzi** (du XIIIe s.).

Sur cette place également **L'église Santa Trinita**, construite au XIe siècle, agrandie au XIIIe s. et dotée d'une façade baroque du XVIe s. par Buontalenti. Avec Santa Maria Novella, dont nous parlerons plus loin, Santa Trinita est connue pour ses fresques de Ghirlandajo (1449-1494), peintes dans la *chapelle Sassetti*, du nom d'un riche commandeur florentin qui est enterré ici, dans le bras droit du transept. Considéré comme le peintre-chroniqueur de Florence pendant la Renaissance, Ghirlandajo a peint des scènes de la vie de St François d'Assise (1182-1226) dans un décor somptueux du XVe siècle. Six fresques ont été composées entre 1479 et 1486 et ont pour thèmes (en commençant par la rangée supérieure, à droite) :

11 -	Église Orsanmichele	17 -	Église San Apostoli
12 -	Marché Nouveau	18 -	Palais Strozzi
13 -	Palais du Parti Guelfe	19 -	San Gaetano
14 -	Palais Davanzati	20 -	Palais Rucellai
15 -	Palais Bartolini-Salimbeni	21 -	Palais Corsini
16 -	Église Santa Trinita	22 -	Palais Ricasoli

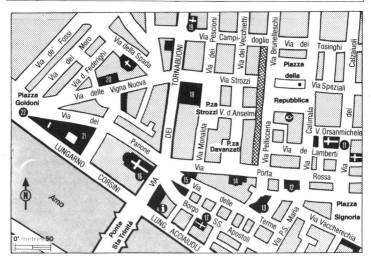

– St François chassé de la maison de son père renonce au monde.

– Le pape Honorius III confirme la règle de l'ordre de St François (la scène se déroule sur la Place de la Seigneurie. On y reconnaît Laurent le Magnifique et ses enfants à côté de leur précepteur, l'humaniste Politien, ainsi que le portrait de Sassetti, le commanditaire des fresques).

– L'épreuve du feu devant le sultan.

Rangée inférieure :

– St François reçoit les Stigmates.

– Le saint ressuscite un enfant des Spini (dans le décor de la place Sta Trinita).

– Mort de St François (inspirée de la fresque de Giotto à Sta Croce. Derrière l'évêque, on verra l'auto-portrait de Ghirlandajo).

Sur l'autel, un autre tableau remarquable de Ghirlandajo : « L'Adoration des Bergers » qui se déroule dans un décor cher aux humanistes de la Renaissance : des portiques et architectures antiques. De chaque côté du tableau, le peintre a représenté agenouillés Francesco Sassetti, trésorier et homme de confiance de Laurent de Médicis et sa femme Nera Cosi. Dans cette chapelle se trouve le tombeau de famille des Sassetti par Giuliano da Sangallo (XVe s.). Dans l'église, on verra également : « La Madone et l'Enfant », tableau de Néri di Bicci (XVe s.), des fresques de la vie de la Vierge et le tableau de « L'Annonciation » par Lorenzo Monaco, du XVe s. (4e chapelle à droite), le tombeau d'Onofrio Strozzi par Piero di Niccolo Lamberti (XVe s.). Dans le chœur : monument funèbre de l'évêque Federighi par Luca della Robbia et triptyque de Mariotto di Nardo (XVe s.). A côté du chœur, une petite chapelle contient un curieux crucifix : selon la tradition le Christ se serait incliné devant St Jean Gualberto après qu'il ait pardonné à l'assassin de son frère. Dans les chapelles à gauche : « Marie-Madeleine », statue de Desiderio da Settignano (1464), tombeau de Giuliano Davanzati (1450) et retable de Néri di Bicci (XVe s.).

Au sud de la place se trouve le **Pont Sta Trinita** qui fut détruit en 1944, lors de la retraite des troupes allemandes, puis reconstruit exactement comme il était auparavant. C'était en effet un des plus beaux ponts de Florence, après le Ponte Vecchio, construit sur un projet de Michel-Ange par Ammannati à la fin du XVIe siècle. Il fut doté de quatre

statues lors des noces du Grand-Duc Côme II avec Marie-Madeleine d'Autriche, en 1608. Du pont Sta Trinita, on jouit d'une très belle vue sur l'Arno, le Ponte Vecchio et les maisons qui s'y mirent. Longeant le pont de la Santa Trinita, le quai *(lungarno Corsini)* file vers l'ouest vers la Place Goldoni. Il est bordé par de très beaux palais, dont le **palais Gianfigliazzi**, de la Renaissance, et le **Palais Corsini** (famille qui a donné son nom au quai et qui compta de nombreuses célébrités comme Lorenzo Corsini devenu le pape Clément XII, dans la première moitié du XVIIIe siècle). De style baroque, ce palais a été construit au XVIIe siècle et abrite au premier étage la belle *Galerie Corsini*, possédant une riche collection de tableaux italiens et étrangers, en particulier de la Renaissance (Botticelli, Lippi, Raphaël, Signorelli, etc.). Ouverte au public, on la visite sur rendez-vous (téléphoner au 218-994, entre 14 h 30 et 17 h 30).

Autre itinéraire : au lieu d'aller de Santa Trinita à la place Goldoni par le quai Corsini, on remonte la **Via de'Tornabuoni**, ce qui permet de voir au passage de beaux palais dans cette rue qui est une des plus élégantes et des plus aristocratiques de Florence : **Palais Larderel** (Renaissance), **Corsi** (cour dessinée par Michelozzo), **Viviani** (ancienne demeure des sculpteurs Della Robbia) et surtout le monumental **Palais Strozzi**, considéré comme le modèle des palais florentins de la Renaissance. Commencé par Benedetto da Maiano en 1489, il fut continué mais non achevé par Cronaca de 1497 à 1507 (il réalisa en particulier sa belle corniche sculptée). Destiné au riche marchand Filippo Strozzi, rival des Médicis, il a été construit dans le même style que les Palais Pitti ou Medici Riccardi, et est entièrement couvert d'un bossage de grosses pierres de taille. Il s'élève sur deux étages et les dix-huit fenêtres géminées des niveaux supérieurs sont entourées d'arcs en plein cintre faits de moellons. Les lanternes des coins et les anneaux porte-torches ou porte-étendards de la façade ont été réalisés par Niccolo Grosso surnommé « Caparra » car il refusait de travailler s'il n'avait perçu des arrhes ! Comme tous les palais florentins de la Renaissance, il est doté d'une belle cour intérieure à portique (dessinée par Cronaca). Dans ce palais, sont organisées de grandes expositions artistiques ; il comporte également une grande bibliothèque (500 000 volumes) et un petit musée

(Piccolo Museo) consacré à la Famille Strozzi (ouvert le lundi, mercredi et vendredi, de 16 h à 19 h. Entrée gratuite).

Autres palais dans la rue Tornabuoni : *Palais Altoviti* (avec une loggia), *Sangaletti, Giaconi* (XVIIe s.), *Minerbetti* (XVIe s.). Si on poursuit plus au nord, par la Piazza Antinori, on verra le **Palais Antinori**, du XVe siècle (par Giuliano da Maiano) et **l'église St Gaetano**, romane à l'origine puis remaniée au XVIIe siècle dans le style baroque par Nigetti, Gherardo et Silvani (à l'intérieur : « Martyr de St Laurent » par Pietro da Cortona, de 1635 ; crucifix de Filippo Lippi, du XVe s.). Donnant sur la via Tornabuoni, la via della Spada où s'élève la **Loggia Rucellai** (du XVe s., attribuée à Léon Battista Alberti). Peu après, la via della Vigna Nuova part vers l'ouest et la Place Goldoni. On y verra le **Palais Rucellai**, de la Renaissance, construit vers 1446 par Bernardo Rossellino d'après les projets de Léon Battista Alberti. Cet édifice est encore plus élégant et plus inspiré de l'Antiquité que les autres palais florentins : le bossage est plat, les fenêtres sont encadrées de pilastres et toute la façade est divisée en trois ordres, comme les édifices romains (rez-de-chaussée : ordre toscan ; premier étage : ordre ionique ; deuxième étage : corinthien). Sur demande, on peut visiter également la Chapelle Rucellai, via della Spada, qui contient le petit temple du St Sépulcre en marbre polychrome, toujours par Alberti.

Du Palais Rucellai, on gagne la Place Goldoni (à la mémoire du grand auteur dramatique vénitien, 1707-1793) par la via della Vigna Nuova. Sur la place se trouve le **Palais Ricasoli** (fin XVe s.) tandis qu'y débouche le Ponte alla Carraia, bâti comme le pont Santa Trinita par Ammannati au XVIe siècle (il a également été détruit par les Allemands lors de la dernière guerre et reconstruit à l'identique). On emprunte le Borgo Ognissanti jusqu'à la **place Ognissanti** (de tous les Saints), après avoir vu au passage l'*Hôpital San Giovanni di Dio* (du XIVe s.) et la maison attenante, tous deux ayant été bâtis pour la riche famille Vespucci, dont un des membres fut le navigateur Amerigo Vespucci (son prénom a été donné à l'Amérique) ; il est d'ailleurs né dans cette maison.

Sur la place s'élève l'**église San Salvatore Ognissanti** à la belle façade baroque du XVIIe s. et dont le campanile est du XIIIe s. (à l'intérieur : fresques de David et Domenico Ghirlandajo, de 1480, représentant la Madone protégeant la famille Vespucci dont on verra les portraits du navigateur Amerigo Vespucci et de Simone qui fut aimée par Laurent le Magnifique ; « Saint Augustin » par Botticelli dont la tombe est dans l'église, « St Jérôme » par Ghirlandajo ; fresques de la coupole et du chœur par Giovanni di San Giovanni. Dans la sacristie : crucifix de l'école de Giotto ; « Crucifixion » et « Résurrection » par Taddeo et Agnolo Gaddi. Dans une chapelle à gauche : tombeau de Marie Caroline Murat (sœur de Napoléon 1er). Une porte à gauche de la nef conduit au cloître et au *Réfectoire*, décoré par une magnifique « Cène », fresque de Domenico Ghirlandajo (visite tous les jours sauf dimanche et fêtes de 9 h à 12 h 45. Entrée libre).

23 - *Église Ognissanti*
24 - *Loge de Saint Paul*
25 - *Église Santa Maria Novella*

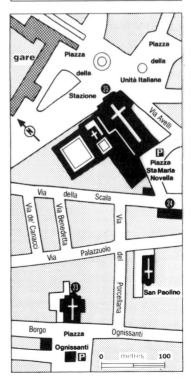

Au bord de la place Ognissanti, beau **palais Busini** - Quaratesi - Pisani du XVe s.

Sur la gauche de l'église, on prend la Via del Porcellana (l'église San Paolino des XIIIe-XVIIe s. contient un beau Fra Angelico) puis la via della Scala pour se rendre à la Piazza Santa Maria Novella. Sur le côté : la **Loggia St Paul** avec une colonnade du XVe s. et des décorations en terre cuite des Della Robbia. Au milieu de la place s'élèvent deux obélisques qui servaient de bornes aux *« palio dei Cocchi »*, course de chars à l'antique inaugurée par le Grand-Duc Côme 1er en 1563. A l'angle de la via della Scala : tabernacle de la corporation des médecins (1425).

Dominant la place : la belle église **Santa Maria Novella**, construite par les Dominicains Sixte et Ristoro da Campi en 1279, continuée par le frère Iacopo Talenti qui bâtit notamment le campanile et terminée sous la Renaissance (1470) par Léon Battista Alberti à qui on doit sa magnifique façade blanche décorée de motifs géométriques polychromes. L'intérieur, de style gothique est en croix latine avec trois nefs reposant sur des piliers. On regardera d'abord (N° 1) dans la lunette au-dessus du portail : « la nativité », fresque attribuée à Botticelli (XVe s.). On commence la visite par le côté droit de l'église :

2 - Tombeau de Beata Villana par Bernardo Rossellino (1451).

3 - Chapelle della Pura : crucifix de Baccio da Montellupo (1501).

4 - Ancien cimetière transformé aujourd'hui en jardin.

5 - Buste de Saint Antonino, terre-cuite du XVIe s. et tombeau de Tedice Aliotti évêque de Fiesole par Tino de Camaino (1336).

6 - Tombeau gothique de l'évêque Aldobrando Cavalcanti d'Orvieto (1279) et cénotaphe du patriarche Joseph de Constantinople (mort pendant le concile Œcuménique de Florence en 1439).

7 - *Chapelle Rucellai* ; tombeau de Fra Léonardo Dati par Ghiberti et « Madone à l'enfant » statue de marbre de Nino Pisano. Sur la paroi gauche « Martyr de sainte Catherine », fresques de Buggiardini auxquelles Michel-Ange a peut être collaboré.

8 - *Chapelle Bardi* : « Madone du Rosaire » par Vasari (1570).

9 - *Chapelle Strozzi* : fresques de Filippino Lippi (1502), représentant la vie de St Jean l'Évangéliste et celle de

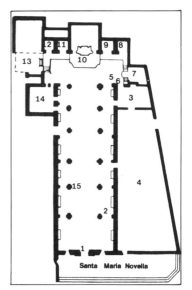

Santa Maria Novella

St Philippe. Mur de droite : « St Philippe exorcise le dragon » ; « Le Martyre de St Philippe ». Mur de gauche ; « St Jean ressuscite Drusiane » ; « Le martyre de St Jean ».

10 - *Le chœur* : fresques de Domenico Ghirlandajo (1485-90) représentant des scènes de la vie de St Jean Baptiste, patron de Florence, et de la vie de la Vierge, avec la collaboration de Michel-Ange, pour le compte du banquier Giovanni Tornabuoni qui venait de perdre sa femme Francesca Pitti. Au-dessus de la fenêtre, couronnement de la Vierge (au-dessous à genoux portraits de Tornabuoni et de sa femme). Sur le mur de gauche : la vie de la Vierge (Joachim expulsé du Temple, la naissance de la Vierge, Présentation au Temple, les Noces, l'Adoration des Mages, le Massacre des Innocents, la mort et l'Assomption de la Vierge). Sur le mur de droite : la vie de St Jean (Zacharie au Temple, la Visitation, Naissance de St Jean, Zacharie nommant l'Enfant, St Jean prêchant dans le désert, le baptême du Christ, le festin d'Hérode). Sur l'autel : crucifix de Giambologna (XVIe s.). Vitrail de Ghirlandajo.

11 - *Chapelle Gondi* (de Giuliano Sangallo, 1508). Crucifix que Brunelleschi sculpta parce qu'il reprochait à celui commandé à Donatello de ressembler à un paysan (cette dernière œuvre est à Santa Croce).

12 - *Chapelle Gaddi* : sur l'autel, tableau de Bronzino « un miracle de Jésus » (XVIe s.).

13 - *Chapelle Strozzi de Mantoue* : fresques du XIVe s. par Nardo di Gione d'après des thèmes de Dante tirés de la Divine Comédie : « L'Enfer » et « Le Paradis ». Sur l'autel « Le Christ triomphant », retable d'Orcagna, frère de Nardo di Cione, de 1357.

14 - Dans la *sacristie* (du XIVe s.), on verra le lavabo de Giovanni della Robbia (fin XVe s.) et un grand crucifix attribué à Giotto.

15 - A gauche de l'église, la « Résurrection » de Vasari et surtout la grande fresque de Masaccio « La Sainte Trinité » dernière œuvre du peintre, mort en 1428.

Autres œuvres à voir : la chaire de Brunelleschi ; « La Nativité », mosaïque de Filippino Lippi ; et une série de fresques de l'école de Giotto attribuées à Agnolo Gaddi représentant des scènes de la Nativité et de l'enfance du Christ.

On sort de l'église par le Cloître Vert, de style roman, érigé par Fra Giovanni da Campi. Dans le *Réfectoire* du couvent, fresques de Paolo Uccelo (XVe s.) représentant des scènes tirées de l'Ancien Testament : La Création du monde, Adam et Eve, le Déluge, etc. On passe ensuite à la *Chapelle des Espagnols* (qui doit son nom à la suite d'Eléonore de Tolède qui s'y recueillait pendant les cérémonies de mariage de la princesse avec le Grand-Duc Côme 1er de Médicis). Construite au XIIIe s. siècle par Jacopo Talenti, la chapelle est couverte de fresques d'Andréa Bonaiuto (1356) représentant des scènes de la vie du Christ et de St Pierre ainsi que l'histoire de l'ordre des Dominicains qui fit construire l'église et cette chapelle (sur le mur gauche : « Le Triomphe de St Thomas »). Au fond de la chapelle : le triptyque de Bernardo Daddi « La Madone et l'Enfant » (1344). Sur le mur de droite : « Le Triomphe de l'Eglise » où le décor est celui de la Cathédrale de Florence. A côté de la chapelle : le « cloître des morts », rempli de pierres tombales, avec une chapelle funéraire décorée de fresques de l'école d'Orcagna (« naissance du Christ » et « Crucifixion »). Prenant la via degli Avelli, on débouche sur la Piazza Unita Italiana où s'étend la grande gare centrale de Florence (Stazione Centrale), bâtie en 1935. Un peu plus au nord, au bord de la Place Adua se trouve le moderne Palais des Congrès. En face s'élève, **la Forteresse de Basso**, construite par Antonio da Sangallo en 1534 pour Alexandre de Médicis qui voulait ainsi intimider ses sujets, trop enclins à se révolter contre sa tyrannie.

LES ENVIRONS DE FLORENCE

Prato (150 000 hab., à 18 km à l'ouest de Florence).

La proximité de Florence et de ses splendeurs a toujours nui à Prato qui recèle de nombreux monuments, musées et œuvres d'art d'un très grand intérêt. Bien qu'elle soit un très gros centre de production de textile elle n'est pas uniquement la banlieue industrielle de Florence, mais aussi une ville d'art qui a toujours cherché à garder sa personnalité et son autonomie. Après une résistance farouche qui se manifesta à plusieurs reprises du XIVe au XVIe siècle, elle fut conquise de haute lutte et absorbée par Florence ; il lui fallut attendre les temps modernes pour retrouver une autonomie administrative.

Après les tribus ligures et les Etrusques, le site de Prato fut choisi par les Romains qui y développèrent la ville de Pagus Cornius. Au temps des Lombards se tenaient des marchés et des campements militaires dans les « prés », devant les remparts de la ville (d'où le nom de « prato », « pré » donné à ce site). Au début de l'Empire Germanique, au XIe siècle le comte Hildebrand s'y installa. Son fils Albert et ses descendants installèrent la dynastie des Alberti, comtes de Prato. Les agglomérations de Cornius et de Prato fusionnèrent alors sous le seul nom de Prato. Puis au XIIe siècle, la ville se transforma en commune, à l'exemple des autres villes de Toscane. Après avoir levé la tutelle des Alberti en 1140, la population Prato mit fin au gouvernement des consuls et les remplaça par celui des Capitaines du peuple, plus républicain. La ville connaît alors une certaine prospérité liée à la production de tissus de laine. Comme Florence, elle fut en proie aux luttes fratricides entre Guelfes (partisans du Pape) et Gibelins (partisans de l'Empereur) au XIIIe siècle, et dut également se battre contre les autres villes-états de Toscane : Pise, Lucques. Florence finalement réussit à la conquérir et l'absorba malgré de dures révoltes en 1490 et 1512. Après une certaine décadence, l'économie de la ville se redressera à partir du XVIIIᵉ s.

A l'intérieur des remparts du moyenâge s'étendent les vieux quartiers de Prato dont les rues évoquent de très anciennes activités, comme le traitement de la laine, la teinturerie, la savonnerie, la bijouterie et le change des monnaies, qui permirent l'essor de puissantes corporations.

La cathédrale St Étienne, s'élève sur la place du Dôme (Duomo). elle a été construite à partir de 1211 sur les fondations d'une ancienne église de la paroisse de Cornius. Lorsque fut recueillie la relique de la « Ceinture de la Vierge » au XIVᵉ s., un transept et une chapelle furent ajoutés par Giovanni Pisano. L'intérieur de la cathédrale est ainsi de styles roman et gothique avec des parements de marbre blanc et vert caractéristiques des édifices toscans de cette époque. L'extérieur est plus composite : campanile roman reposant sur un triforium gothique, façade du XIVᵉ et XVᵉ s. et surtout l'insolite et extraordinaire chaire extérieure de la Renaissance, œuvre de Donatello et Michelozzo (1434-38). Sculptée comme une pièce d'orfèvrerie, cette chaire comporte des bas-reliefs représentant des bandes d'enfants évoquant la fameuse Cantoria du Dôme de Florence. A l'intérieur, on admirera la chaire de Mino da Fiesole et Antonio Rossellino, de style Renaissance ainsi que plusieurs ensembles de fresques d'Agnolo Gaddi, du Maître de Prato (peut être Paolo Uccelo) et de Filippo Lippi (1406-1469). Ce dernier y peignit deux cyles de fresques consacrés aux vies de St Étienne et de St Jean Baptiste (voir en particulier la Danse de Salomé). Bien que portant l'habit de moine, Lippi vécut comme un coquin : il fut condamné pour faux en écriture et pour l'enlèvement d'une jeune nonne (dont il eut un enfant célèbre : le peintre Filippino Lippi) alors qu'il travaillait à ces fresques du Prato. On ne quittera pas la Cathédrale sans visiter son cloître roman paré de marbre bicolore et le Musée des Travaux du Dôme qui recèle de nombreuses œuvres d'art. De la Piazza del Commune (fontaine du XVIIᵉ s.), on se rend au Palais prétorial (XIIIᵉ, XIVᵉ s.) qui abrite la **Galerie Municipale** (œuvres de L. Monaco, des Lippi, Fra Bartolomeo, L. Signorelli, G. da Milano, etc.), et au Palais Communal (XIVᵉ s.) qui possède

également une riche collection de tableaux (La salle du Conseil est décorée de fresques de la Renaissance).

Donnant sur la place Santa Maria delle Carceri : la **Forteresse Santa Barbara**, construite sur l'ordre de l'empereur germanique Frédéric II (entre 1237-1248) vaste édifice sacré flanqué de huit tours et **l'église Santa Maria delle Carceri**, superbe édifice de la Renaissance en croix grecque construit par Sangallo, élève de Brunelleschi (l'architecte de la coupole du Dôme de Florence). On verra à l'intérieur la frise d'Andrea della Robbia et les vitraux de l'école de Ghirlandajo.

Autres églises remarquables : **Saint François** (romane et gothique, cloître du XVᵉ s., fresques de Pietro Gerini dans le couvent) ; **St Augustin** (de style gothique et Renaissance) ; **St Dominique** (gothique où travailla Giovanni Pisano. Intérieur remanié de style baroque, cloître du XVᵉ s. et couvent-musée de peinture ancienne) ; **St Barthélémy**. Quelques beaux palais : des Spedalinghi (XVᵉ s., siège de l'Académie de Médecine et des Sciences), Datini (XIVᵉ s., décoré de fresques et siège des Archives d'État). On verra également le **Musée du Tissu** (Institut Buzzi), le **Théâtre Métastase**, du XIXᵉ s. où se déroulent de nombreux spectacles et le tout nouveau **Centre pour l'Art Contem-**

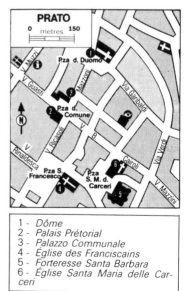

PRATO

0   metres   150

1 - Dôme
2 - Palais Prétorial
3 - Palazzo Communale
4 - Église des Franciscains
5 - Forteresse Santa Barbara
6 - Église Santa Maria delle Carceri

porain **Luigi Pecci** où de nombreuses expositions de peinture moderne sont organisées ainsi que des concerts de musique contemporaine.

Fiesole

On s'y rend par autocars au départ de la Piazza San Marco (20 mn). On arrive d'abord à **San Domenico di Fiesole** (église du XVe s., façade du XVIIe s. par Nigetti. A voir : « Crucifixion » de l'école de Botticelli, « Madone à l'Enfant » de Lorenzo di Credi, et une autre de Fra Angelico alors qu'il était encore tout jeune). A côté de l'église, le couvent recèle une « Madone à l'Enfant » de Fra Angelico, dans la salle du chapitre. Par la via di Badia Roccettini, on accède à l'Abbaye de Fiesole (du XVe s., dans le réfectoire : fresques du XVIIe s. « Le Christ servi par les Anges » de Giovanni di San Giovanni).

On arrive ensuite à Fiesole, petite ville fondée par les Etrusques au VIIe s. av. J.-C. puis transformée en municipe romain, et enfin absorbée par Florence au Moyen Age (en 1125).

La **Cathédrale St Romulus** a été construite au début du XIIIe s. (voir à l'intérieur la **chapelle Salutati** où le devant d'autel et le tombeau de l'évêque Leonardo Salutati ont été sculptés par Mino da Fiesole au XVe siècle). On visitera également le Théâtre Romain, construit à l'époque impériale, les fouilles d'un temple étrusque (IIIe s. av. J.-C.) et celles des thermes romains. Un petit musée archéologique, à côté, rassemble de nombreux vestiges : sarcophages étrusques, statue de l'empereur romain, Claude, miroir étrusques, pièces de monnaies, etc. Quant au *Musée Bandini*, il recèle des meubles anciens de la Renaissance, des sculptures de della Robbia et des tableaux de Lorenzetti, Nardo di Cione, Neri di Bicci, etc. Il faut faire un saut jusqu'à l'église gothique San Francesco, (à l'intérieur, œuvres de Neri di Bicci, Pieri di Cosimo, Raffaellino del Garbo), pour bénéficier d'une vue superbe sur toute la région. Enfin, Fiesole est le lieu d'un des plus beaux hôtels d'Italie (et des plus chers), la *villa San Michele*, ancien monastère conçu par Michel-Ange.

Le Musée Stibbert

Au nord de Florence, on visitera le musée Stibbert, situé au milieu d'un grand parc. Il rassemble de très beaux meubles anciens, des objets d'art, des armes et une grande collection d'œuvres d'art d'Extrême Orient.

La Chartreuse de Galluzzo (8 km)

Au sud de Florence, cette chartreuse du XIVe siècle possède une belle collection de tableaux et de sculptures de la renaissance florentine (Pontormo, Fra Angelico, del Sarto, Donatello, etc.).

Au nord de Florence : le Mugello

Voici un petit circuit qui permet de découvrir la Toscane au nord de Florence et en particulier le Mugello, dans les Appennins toscans-émiliens. De Florence, on monte sur Fiesole et **Borgo San Lorenzo**, gros bourg agricole médiéval entouré d'un rempart (églises gothiques St François et St Laurent) puis **Vicchio**, ville natale de Giotto (1267-1337), Fra Angelico (1387-1455) et de Benvenuto Gellini (1500-1579). On y verra son ancien château, les remparts et la tour des Cerchiai ainsi que le palais prétorial abritant un musée Fra Angelico.

On revient sur Borgo San Lorenzo et on se rend à **Vaglia** (dans les environs : couvent de Montesenario qui recèle des peintures de la Renaissance), **San Piero a Sieve** (forteresse St Martin par Buontalenti et château du Trebbio par Michelozzo ; couvent Bosco ai Frati possédant un crucifix de Donatello), **Scarperia** (beau palais prétorial de 1306, Oratoire Madonna dei Terremoti avec une fresque attribuée à Filippo Lippi). Aux environs de Scarperia : autodrome international du Mugello où se disputent d'importantes compétitions automobiles.

On se rend ensuite à **Barberino di Mugello** (château du XIe s. ; palais prétorial du XVe s., avec la tour à l'horloge et des arcades conçues par Michelozzo). On monte ensuite à la station climatique de **Firenzuola** (422 m d'altitude) pour y voir la citadelle, du XIVe S. et l'église Cornacchiaia remontant à l'époque carolingienne.

On revient à Florence par **Palazuolo sul Senio** (château fort des capitaines du XIVe s. où séjournèrent Machiavel et le pape Jules II), **Marradi** (palais communal, église du Suffrage), **San Godenzo** (église abbatiale du XIe s., église millénaire de San Babila. Aux environs : Castagno d'Andrea, patrie du peintre Andrea del Castagno, 1423-1457). On arrive ensuite à **Dicomano** (église Sta Maria du XIIe s. et chapelle de l'Annonciation ainsi que l'oratoire Sant'Onofrio recèlant des chefs-d'œuvre de la Renaissance, puis Londa, Rufina et Pontassieve (tour de l'horloge et porte de Florence, monastère Sta Maria à Rosano, du XIIe s.).

Les villas médicéennes

Tout autour de Florence, les Médicis se sont fait construire des villas qui sont de purs trésors architecturaux en particulier :

Poggio a Caiano (à 20 km à l'ouest de Florence par la nationale 66) : dessinée par Sangallo pour Laurent le Magnifique, en 1479, et terminée en 1513 pour le pape Léon X de Médicis. Bel édifice de la Renaissance, cette villa repose sur une série d'arcades et d'un escalier monumental en fer à cheval qui mène à la terrasse et à la loggia (fronton triangulaire de style classique). Ces deux rampes d'accès curvilignes furent rajoutées au XIXe siècle. Au premier étage : grand salon avec des fresques de Pontormo, Franciabigio, Andrea del Sarto et Alessandro Allori. C'est dans cette villa que trouvèrent la mort, au cours d'un banquet, le Grand-Duc François 1er de Médicis et sa femme Bianca Cappello, probablement empoisonnés par son frère le cardinal Ferdinand, futur Grand-Duc Ferdinand 1er de Médicis. Beau jardin avec des plantes exotiques et une Orangerie réalisée par Poccianti. Dans cette villa médicéenne ont lieu périodiquement des spectacles et des expositions artistiques. (Visite tous les jours, sauf le lundi, de 9 h à 13 h 30. Entrée libre).

L'Ambrogiana (à l'ouest de Florence par la Nationale 67), près de Motelupo ; elle a été conçue par Buontalenti.

San Antonio près de Montaione (au sud de Florence).

– **La villa Lappeggi** (privée), au sud de Florence, près de Grassina. Ancienne demeure des Médicis (fresques du XVIe s.), transformée et propriété du sculpteur Dupré.

– **La villa Careggi** (au nord de Florence, après la banlieue industrielle de Rifredi) : ancienne demeure du peintre F. Lippi, elle fut achetée par les Médicis en 1417. Puis en 1457, Côme l'Ancien l'a fait aménager et remanier par Michelozzo.

– **La villa Petraia** (entre la Villa Careggi et Sesto Fiorentino, au nord de Florence) : remaniée par Buontalenti, elle possède une cour à arcades, transformée en salle de bal par le roi d'Italie Victor-Emmanuel II, un jardin à l'italienne dessiné par Tribolo et un jardin suspendu doté d'une fontaine. (Visite tous les jours, sauf le lundi, de 9 h à 16 h 30 en hiver, de 9 h à 17 h 30 au printemps et de 9 h à 19 h en été. Entrée gratuite mais prévenir avant en téléphonant au 451 208).

– **La villa di Castello** (proche de la précédente, au nord-ouest de Florence), de la Renaissance (jadis décorée de fresques de Pontormo). Beau jardin en terrasse doté d'une fontaine de Tribolo (« Hercule et Antée »). Elle est le siège de l'Académie de la Crusca, fondée en 1582 par les Médicis et qui se consacre à l'étude de la langue italienne et au dictionnaire. (Visite des jardins seulement, tous les jours, sauf le lundi de 9 h à 16 h 30 ou 18 h 30, selon les saisons. Entrée libre).

– **Villa di Poggio Imperiale** (à Rufina, à l'est de Florence), de la Renaissance. (Visite sur rendez-vous seulement, en téléphonant au 220-151. Entrée libre. Fermée le samedi et le dimanche).

– **Villa de Cafaggiolo** (au nord de Florence, entre San Piero a Sieve et Barberino di Mugello). Ancienne forteresse que Côme l'Ancien fit transformer en 1451 par Michelozzo pour en faire une résidence d'été et un pavillon de chasse.

– **Villa Demidoff** (à Pratolino, au nord de Florence). Ancienne villa médicéenne de François 1er de Médicis (XVIe s.). Beau jardin avec statues (« L'Apennin » par Giambologna).

– **Villa de Cerreto Guidi** (près de Vinci, à l'ouest de Florence) : Villa aménagée sur les fondations d'une ancienne forteresse. Récemment restaurée et transormée en musée. On y accède par des ponts construits par Buontalenti, à la Renaissance.

Le plus rapide pour aller de Florence à Pise est d'emprunter l'autoroute *(autostrada)* Firenze-Mare, pour effectuer en quelques minutes le parcours de 82 km. Mais pour connaître la Toscane, les petites routes sont préférables. Deux itinéraires Florence-Pise sont alors possibles : par le nord (Pistoia et Lucques) ou par le sud (Empoli, San Miniato).

Pise peut aussi être très facilement atteint en 1 heure de train.

Florence-Pise par le nord

On quitte Florence par le nord-ouest, en passant par la Forteresse de Basso pour rejoindre la route de Prato. On passe d'abord par **Sesto Fiorentino,** proche de l'aéroport de Florence-Peretola, puis par **Prato,** grande agglomération de 150 000 habitants décrite au chapitre « Les environs de Florence ».

Pistoïe (Pistoia, 90 000 hab., 36 km à l'ouest de Florence) a conservé de nombreux édifices de l'époque romane, gothique et de la Renaissance. En particulier : la *cathédrale* romane du XIIe s. flanquée d'un portique et d'un campanile du XIVe s. (à l'intérieur : autel St Jacques et œuvres de L. di Credi et de Verrocchio), le *Baptistère* octogonal dessiné par Andréa Pisano (1337), l'église *Sant'Andrea* du XIIe s. (chaire et crucifix de G. Pisano), l'église *San Giovanni Fuorcivitas* (XIIe-XIVe s.), l'église *Sta Maria delle Grazie* (1469). On verra aussi le *Palais du Podestat* (XIVe s.) et le *Palais Communal* des

XIIIe et XIVe s. (avec un musée d'art à l'intérieur) ainsi que l'hôpital del Ceppo, du XIIIe s., orné d'une frise en terre cuite de Della Robbia.

La route traverse ensuite **Montecatini Terme,** importante station thermale spécialisée dans la thérapie des maladies hépatiques et de l'estomac. Excursions aux alentours dans les vignobles du haut-chianti et della Valdinievole.

Pescia est un joli village aux rues médiévales et un gros marché aux fleurs. Peu après Pescia, un petit détour par **Collodi** permet d'aller visiter le village natal de Pinocchio (un jardin retrace l'histoire de la marionnette).

La nationale 435 traverse ensuite **Lucques** (Lucca), ville ancienne entourée de remparts du XVIe s., qui fut longtemps la rivale de Pise et de Florence. Cité-État gouvernée par des consuls dès le début du XIIe siècle, Lucques faillit bien l'emporter sur Florence et l'absorber au XIVe siècle. En 1328, le seigneur de Lucques, Castruccio Castracani, qui a déjà pris Pistoia, se rapproche des murs de Florence mais meurt brusquement alors que les Florentins étaient pour une fois sans défense (leur allié français n'étant pas venu à la rescousse). En ville, on verra le *Palais du Gouvernement* qui abrite la Pinacothèque de la ville (nombreux chefs-d'œuvre de Filippino Lippi, Fra Bartolomeo, Bronzino, Pontormo, Tintoret, etc.). La *Cathédrale* et l'*Église San Michele* sont remarquables (de

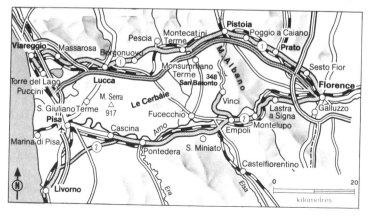

style roman pisan avec leurs façades comportant plusieurs étages d'arcatures et de colonnades). A l'intérieur de la cathédrale, ne pas manquer le Tempietto, ravissant petit édifice de Matteo Civitali (1435-1501), architecte et sculpteur lucquois dont l'œuvre est un modèle de la Renaissance. Et aussi le tombeau d'Ilaria del Caretto de Jacopo della Quercia, un des maîtres du Quattrocento. L'église San Michele contient une belle terre cuite de Luca della Robbia et un tableau de F. Lippi. A Lucques, on verra aussi l'église romane san Frediano, la vieille ville et ses maisons du XIVe s. (maison Guinigi).

De Lucques, la route bifurque vers Carrare au nord (voir p. 62) ou le sud vers **Pise** (Pisa, 100 000 hab.), très jolie ville construite au confluent de l'Arno et d'un ancien bras du Serchio.

Pise

Grecque, puis étrusque et romaine, elle doit sa première prospérité à sa situation auprès de la mer , elle bénéficiait d'un port d'estuaire très actif déjà au temps des Romains, puis tout au long du Moyen Age. Elle s'est illustrée par les défaites qu'elle a infligées aux Sarrasins en Méditerranée (notamment au XIe siècle), lui permettant ainsi de devenir une république maritime puissante, rivale de Gênes et de Venise. Elle atteignit son apogée aux XIe et XIIe siècles, époque où elle se dota des célèbres monuments du « champ des miracles » : la Cathédrale, la « tour penchée », le Baptistère et le « campo santo ». Commerçant dans toute la Méditerranée, de l'Espagne jusqu'à l'Égypte et à l'Afrique du nord, Pise était devenue une commune autonome, gouvernée par un évêque et des consuls dès la fin du XIe siècle. A partir du XIIIe siècle commença son déclin tant à cause de luttes intestines que des combats qu'elle dut mener contre les communes rivales de Gênes, Florence et Lucques. Le désastre naval de la Meloria en 1284 contre Gênes voit la destruction de la flotte pisane et la fin de son hégémonie sur la Méditerranée occidentale. Ruinée, elle passe sous la tutelle de Florence au XVe siècle.

Visite de la ville

Le « **campo dei Miracoli** », qu'on peut traduire à la fois par le « champ des miracles » ou le « champ des merveilles », est universellement reconnu comme un des sommets de l'art roman. Là se trouvent rassemblés plusieurs monuments superbes et notamment la fameuse **Tour de Pise** (campanile). Situé au nord-ouest de la ville, le Campo est recouvert d'une grande pelouse où se dressent les bâtiments de marbre blanc et vert de la Cathédrale (Duomo), du Baptistère, du Campanile et du Campo Santo (cimetière).

La Cathédrale a commencé à être construite en 1063, année où les Pisans remportent une grande bataille navale sur les Sarrasins à Palerme. Dédié à la Vierge Marie, cet édifice innove dans le style « pisan » : richesse du matériau (marbre blanc et vert), harmonieuses arcatures et colonnades sur plusieurs étages ; il a été créé par l'architecte d'origine grecque Busketos (en italien Buscheto) en puisant à la fois dans les styles roman, lombard et byzantin. A partir de volumes simples, cylindres, parallélépipèdes, demi-sphères, Buscheto a pu retirer toute massivité à l'ensemble en l'allégeant par des séries d'arcades superposées, lui donnant ainsi un maximum de grâce. La leçon sera retenue par ses successeurs qui édifieront les autres monuments du Campo : ils formeront ainsi l'un des ensembles architecturaux les plus harmonieux du monde. On entre dans la Cathédrale par de grandes portes de bronze, œuvres de Raphaël Pagni (XVIIe s.), élève de Giambologna. Ces portes ont remplacé celles de Bonanno Pisano, exécutées à la fin du XIIe siècle et qui furent détruites par un incendie. Seule reste la porte de St Ranieri (transept-sud) dont les panneaux sculptés retracent des scènes de la vie du Christ. Conçue selon le plan en croix latine, cette Cathédrale romane frappe par sa taille monumentale que l'on retrouvera seulement à l'époque gothique. Elle comprend une très grande nef dotée de quatre bas-côtés séparés par quatre colonnades et un transept terminé par deux absides, lui-même divisé en trois nefs. Le chœur est également prolongé par une abside. On remarquera que la coupole a la forme d'une ellipse et est posée sur un tambour octogonal au-dessus du croisement des deux bras du transept.

A l'intérieur, on remarquera la superbe chaire de marbre sculpté, de plan octogonal, chef-d'œuvre de Niccolo et de son fils Giovanni Pisano. Cette dynastie d'artistes répandra le style gothique en Toscane, à Pise, Sienne et Florence, et influencera la plupart des grands sculpteurs de la Renaissance.

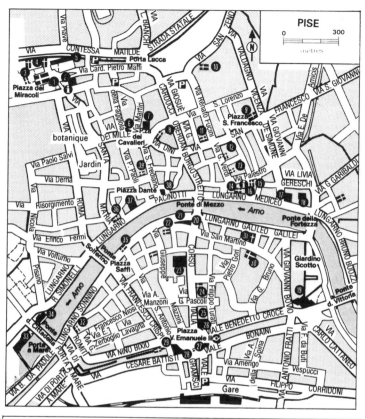

PISE

0   300
mètres

1 - Dôme
2 - Campanile
3 - Baptistère
4 - Campo Santo
5 - Musée du Dôme
6 - Palazzo dell'Orologio
7 - Palazzo della Carovana
8 - Église Santo Stefano dei Cavalieri
9 - Église San Francesco
10 - Église San Catarina
11 - Église Santa Cecilia
12 - Église San Paolo all'Orto
13 - Église San Michele
14 - Église San Pierino
15 - Église Sant'Andrea
16 - Palais Toscanelli
17 - Palais Médicis
18 - Musée National
19 - Bastion San Gallo
20 - Loggia di Banchi
21 - Palais Cambacorti
22 - Église Santa Cristina
23 - Casa Gambacorti
24 - Église Santa Maria del Carmine
25 - Église San Domenico
26 - Palais della Borsa
27 - Poste
28 - Administration provinciale
29 - Église San Antonio
30 - Église San Martino
31 - Église San Sepolcro
32 - Église San Paolo a Ripa d'Arno
33 - Cittadella
34 - Arsenale delle Galee
35 - Église Santa Maria della Spina
36 - Église San Nicola
37 - Palazzo della Giornata
38 - Palazzo Agostini
39 - Église Frediano

Après l'incendie de 1595, plusieurs chapiteaux et colonnes furent reconstruits et un beau plafond à caisson fut aménagé, à l'instigation de la famille florentine des Atticciati (à cette époque, Pise était sous la tutelle de Florence). Au plafond pend la « Lampe de Galilée » : le savant aurait découvert sa théorie de l'isochronisme des oscillations en la voyant bouger. Au-dessus du chœur : grande mosaïque à fond d'or, de style Byzantin (1303), à laquelle Cimabue aurait contribué. Consacrée par le pape Gélase II, en 1118, la Cathédrale ne fut vraiment terminée qu'en 1380 après l'édification de la coupole gothique. Malgré ces ajouts, elle garde une remarquable unité (visite de 7 h 45 à 12 h 45 et de 15 h à 18 h 45).

Le Baptistère *(battistero)* fut construit à partir de 1153, un siècle après le début des travaux de la Cathédrale, et fut ainsi le deuxième édifice du Champ des Miracles. A l'époque, il n'était qu'un cylindre sans la coupole (ajoutée en 1358) et sans la fine dentelle de pierre, pinacles et frontons, de style gothique sculptée par Nicolo et Giovanni Pisano à partir de 1269. (On remarquera la curieuse pointe qui surmonte la coupole où une statue de St Jean Baptiste a été érigée.) Au moment où les travaux commencent, Pise est au faîte de sa puissance : elle a imposé sa suprématie sur la Méditerranée aux dépens des Sarrasins, elle a installé tout autour de nombreux comptoirs commerciaux, et elle est en bons termes à la fois avec le Pape (car elle participe activement aux croisades) et avec l'Empereur dont elle est partisane et qui lui laisse une certaine autonomie. Ses échanges fructueux avec l'Orient et l'Europe lui donnent les moyens de vivre luxueusement et d'embellir ses quartiers. Ainsi le Baptistère est-il un nouveau joyau que Diotisalvi édifia à côté de la Cathédrale et d'après les plans de son architecte Buscheto. Comme la Cathédrale qui lui fait pendant, le Baptistère est doté d'un premier niveau d'arcades aveugles, de style roman. Les autres étages et la coupole, de style gothique, seront édifiés aux siècles suivants. Prenant le relais de Diotisalvi, les sculpteurs-architectes Niccolo et son fils Giovanni Pisano, qui ont déjà œuvré à la Cathédrale, poursuivent sa construction et lui donneront le style gothique. (Ce sera la tâche de Cellino di Nese de coiffer l'ensemble d'une grande coupole en 1285.)

L'intérieur est parfaitement circulaire (35 m de diamètre). Diotisalvi fit construire une colonnade entourant les fonts baptismaux comprenant quatre gros piliers séparant, deux à deux, huit colonnes. Le fleuron de ce baptistère est la chaire de Niccolo Pisano, chef-d'œuvre de l'art gothique italien. De plan hexagonal, elle comprend sept colonnes de marbre reposant sur des lions. Les cariatides et les figures d'angle représentent les vertus cardinales et théologales, les prophètes et les évangélistes. Mais on admirera surtout les bas-reliefs des cinq panneaux formant le corps de la chaire

représentant des scènes de la vie du Christ, de la nativité à la Crucifixion, où le sculpteur se souvient de l'art des sarcophages de l'Antiquité gréco-romaine. Voir aussi le lutrin, en haut de la chaire, soutenu par un aigle tenant dans ses serres une proie (visite de 9 h à 12 h 50 et de 15 h à 18 h 50).

Le Campanile (ou « Tour Penchée »). Haut de 56 m, il doit son inclinaison de 2,26 m à un affaissement de terrain. D'après les études, cette inclination s'accentuerait chaque année de sept dixièmes de millimètres et malgré des travaux de soutènement, il n'est pas exclu qu'il s'écroule un jour (comme le campanile de la Place St Marc à Venise en 1902). De forme cylindrique, le campanile comprend un niveau d'arcades aveugles et six étages de galeries à colonnades surmontés par un clocher auquel on accède par un escalier en colimaçon de 293 marches. A la différence des autres édifices du Campo, la tour construite par Bonanno Pisano est de style roman pisan. Commencée en 1174, peu après le Baptistère, elle s'éleva d'abord jusqu'au troisième étage puis s'affaissa, ce qui interrompit les travaux pendant un siècle. D'après les scientifiques, l'architecte n'aurait pas voulu cette inclinaison, comme le suggère avec méchanceté Vasari, mais il n'aurait pas soupçonné l'existence d'une grande nappe phréatique qui transforme tout le sol de Pise en éponge (d'autres églises de la ville ont également des campaniles qui subissent ce même phénomène). Les travaux furent repris par Giovanni di Simone qui ajouta trois nouveaux étages de colonnades en 1273. Au siècle suivant, Tommaso di Andréa édifia le clocheton qui surmonte la tour. C'est en haut de la tour penchée que le savant pisan Galilée (1564-1642) expérimenta sa loi sur la chute des corps en lançant de petits gravillons (visite de 8 h à 19 h 30).

Le Campo Santo, tout proche, est le quatrième monument du Champ des Miracles. C'est un ancien cimetière aménagé au XIIIe siècle par Giovanni di Simone (qui travailla également à la « tour penchée »). Il comprend une grande galerie couverte rectangulaire, ressemblant à un cloître, entourant un jardin. Les murs extérieurs sont décorés par une quarantaine d'arcades aveugles, de style roman, tandis que la porte d'accès au Campo Santo est surmontée d'un tabernacle gothique en marbre, de l'école de Giovanni Pisano (il abrite les statues de la Vierge et de quatre saints). A l'intérieur du Campo Santo, les arcades romanes du cloître sont ouvertes et décorées de fines colonnettes gothiques qui allègent l'ensemble. Dans cet ancien cimetière des bourgeois et patriciens pisans, on verra des dalles, tombes, plaques funéraires et sarcophages de tous modèles, mais on s'y attardera surtout pour admirer les fresques du XIVe siècle, malheureusement bien endommagées par les bombardements de la dernière guerre. Les plus célèbres, exécutées par un maître resté anonyme, vers 1360, représentent le « Triomphe de la mort », le « Jugement dernier » et « L'Enfer » avec un lyrisme puissant et tragique qui confine à l'horreur. Autres fresques à voir : les « Scènes de la vie de Saint Efisio » (1390-1392) par Spinello Aretino, qui ornent la galerie-sud, et les « Scènes de l'Ancien Testament » de Benozzo Gozzoli (1468-84) (visite de 8 h à 19 h 40). Ceinturant le Champ des Miracles, la muraille à créneaux est un vestige d'un ancien rempart romain. Derrière le Baptistère, on remarquera la « Porte des Lions » qui s'ouvre dans cette enceinte et donne accès à un petit cimetière.

Dans les bâtiments civils, occupés par des restaurants et des marchands de souvenirs, qui s'élèvent également dans ce Campo dei Miracoli, vient d'ouvrir le « Musée des Sinoples » : ce sont les croquis préliminaires de fresques peints aux XIVe et XVe siècles directement sur les murs. Le nom de Sinople vient de celui de la ville de Syrie d'où provenait la couleur rouge avec laquelle on dessinait. Une partie de ces grandes sinoples proviennent du Campo Santo et ont été révélées lorsque les bombardements de 1944 firent tomber toutes les fresques des murs. Dans ce musée, on trouvera l'esquisse préparatoire au fameux « Triomphe de la Mort », qui aurait peut-être été peint par Bonamico Buffalmacco, artiste célèbre au temps de Boccace. Autres sinoples : celles de Taddeo Gaddi, élève de Giotto, de Francesco Traini, artiste pisan dont le style est proche de celui du Siennois Simone Martini, d'Andrea Bonaiuti, auteurs de très grandes compositions, de Antonio Veneziano qui réconcilia les styles de Giotto et de l'école bolognaise, de Spinello Aretino, peintres de scènes religieuses à la Giotto. Enfin, on verra également les dessins de Benozzo Gozzoli (Benozzo di Lese da Firenze) où apparaît son souci de construire de vastes perspectives en utilisant toutes

les ressources de la géométrie (visite de 9 h à 12 h 40 et de 15 h à 18 h 40).

A Pise, on se rendra aussi à la **Piazza dei Cavalieri** où trois édifices ont été construits et rénovés par l'architecte Vasari, au XVIe siècle : l'église San Stefano dei Cavalieri (1569). A l'intérieur : buste de San Lussorio par Donatello et les *palais dei Cavalieri* (1562) et *de l'Horloge* (1607).

Autres églises : **San Francesco** (XIIIe et XIVe s. Voir les fresques de Taddeo Gaddi et le polyptique de marbre de Tommaso Pisano à l'intérieur ainsi que la tombe du comte Ugolino della Gherardesca, seigneur de Pise au XIIIe siècle), *Santa Catarina, Santa Cecilia, San Paolo dall'Orto, San Michele, San Pierino* et *Sant'Andrea*, toutes dans le style roman pisan.

Le long des quais de l'Arno, on verra les **palais Toscanelli** (où vécut Lord Byron qui y écrivit son « Don Juan ») et **Médicis** (résidence de Laurent le Magnifique et aujourd'hui siège de la Préfecture).

Le Musée National possède un très large choix d'œuvres des écoles de Pise, Lucques et Sienne, notamment des chefs-d'œuvres de Masaccio, Fra Angelico, Simone Martini, etc.

Sur la rive gauche de l'Arno, on verra le **Jardin Scotto,** ceint par les murs de l'ancienne forteresse, avec son bastion San Gallo, la **Loggia di Banchi** (du XVIIe s.), le **palais Gambacorti** (XIVe s.), aujourd'hui l'Hôtel de Ville, et **l'église S. Cristina** (XIIe s.). Le long du Corso Italia : la **Casa Gambacorti** (XIIIe et XIVe s.) et l'**église San Antonio** (XIVe s.) au bord de la place V. Emanuele II.

Parmi les autres belles églises sur la rive gauche, il faut encore visiter **Santa Maria della Spina,** de style gothique pisan du XIVe s., dont l'intérieur et l'extérieur ont été ornés de sculptures des Pisano, comme **San Nicola** (sur l'autre rive en face). On notera encore de voir le **Ponte di Mezzo**, le plus important de la ville, construit en 1660, détruit lors de la Seconde Guerre mondiale puis reconstruit par la suite. Tous les ans y a lieu la « fête du Pont ». Belle vue sur la promenade Lungarno.

Les environs de Pise

A sept kilomètres à l'ouest de Pise, **San Piero a Grado** possède une magnifique basilique romane construite au milieu du XIe siècle. On l'a érigée pour commémorer le débarquement de Saint Pierre venu d'Antioche pour se rendre à Rome (fresques de Domenico Orlandi à l'intérieur).

Certosa di Pisa : on y verra la Chartreuse de Pise (du XIVe siècle) et ses cloîtres. A **Calci** : église gothique pisane du XIe siècle.

Marina di Pisa-Tirrenia : à 12 km à l'ouest de Pise, sur la côte tyrrhénienne, belle plage équipée de Marina di Pisa à l'embouchure de l'Arno. Sur le même littoral au sud : plage de Tirrenia.

De Florence à Pise par San Miniato

On quitte Florence par la Nationale 67 qui passe à **Lastra a Signa**, petite ville médiévale entourée de remparts, **Signa** (églises Sta Maria in Castello, du XIIIe s., et San Lorenzo avec fresques du XIIIe s. et chaire romane) et **Montelupo Fiorentino** (église St Jean avec des œuvres de l'école de Giotto et de Botticelli). Un détour s'impose à **Vinci**, patrie du peintre de la Joconde. Un musée lui est consacré dans le château médiéval des comtes Guidi (maquettes d'après les dessins de Léonard). Dans les environs : la maison natale du peintre à Anchiano (musée). On se rend ensuite à **Empoli** (église St André de style roman florentin, musée municipal avec des œuvres de la Renaissance, église St Étienne, du XIVe s.).

On arrive enfin à **San Miniato** (42 km), charmante petite ville toscane s'étendant sur 3 collines et bénéficiant d'un beau point de vue sur la vallée de l'Arno. Commencée au XIIe siècle, la construction du Dôme a été étendue à celle du Fort au XVe siècle. La façade possède encore son aspect d'origine : chacun des trois portails est surmonté d'une rosace. L'intérieur à 3 nefs a été entièrement refait au XVIIIe siècle. A l'emplacement du fort s'élève aujourd'hui l'église **Santa Maria al Fortino** (XIVe siècle). De la même époque, le monastère Santa Chiara. Durant la première moitié du XVIe siècle fut érigé le **Palazzo Grifoni** pour accueillir l'intendant du Duc Alexandre de Médicis. Quant au *Palazzo Vescovile* (XIIe siècle), à l'origine résidence du gouverneur, il est devenu le siège de l'évêché en 1622. Le *Palazzo del Comune* date, lui, du XIVe siècle, remarquables fresques de l'école de Giotto (fin XIVe siècle) dans la salle du Conseil (Sala del Consiglio). Visiter aussi la *Chiesa del Loretino* (XIVe s.) pour ses splendides fresques murales de l'école de Giotto. Une magnifique grille en fer forgé sépare en deux la chapelle. En été ont lieu des représentations théâtrales données par l'Istituto del Dramma Popolare. La représentation en plein air le 25 août, jour de la sainte Genèse, est particulièrement intéressante.

La route 67 continue ensuite via Pontedera (centre agricole) vers Pise ou vers Livourne.

LA CÔTE TOSCANE

Bien qu'elle soit peu accidentée, et qu'elle n'offre pas la possibilité d'y développer un grand port, la côte toscane a quand même joué un grand rôle maritime. C'est là que s'est affirmée la puissance des Étrusques, peuple de marins qui commerçaient avec toute la Méditerranée. Puis ce sont les Romains qui utilisèrent le port d'estuaire de l'Arno (Pise) comme port auxiliaire d'Ostie. Enfin, malgré son ensablement, ce port de Pise permit à la ville de devenir une des grandes puissances maritimes de la Méditerranée, rivale de Gênes et de Venise.

Aujourd'hui, Livourne a remplacé *Porto Pisano* comme port de la marine marchande et les longues plages du littoral, qui entravaient tant le développement de la navigation autrefois, sont aujourd'hui une des richesses de la Toscane : plusieurs grandes stations balnéaires s'y sont développées. En venant de Gênes, capitale de la Ligurie, on pénètre sur la côte Toscane par le nord à **Marina di Carrara**, station balnéaire et petit port d'exportation du marbre de Carrare. Plus à l'intérieur des terres, l'agglomération de **Carrare** doit sa renommée à ses carrières de marbre blanc exploitées dès l'Antiquité. Rome s'approvisionna en marbre pour édifier des monuments célèbres comme la Colonne Trajane, le Panthéon d'Agrippa ou l'Arc de Claude. Plus tard, le merveilleux « Campo dei Miracoli » de Pise (en particulier la « tour penchée ») fut construit dans ce marbre, extrait de 500 carrières dans les Alpes Apuanes, et à la Renaissance, Michel-Ange et Donatello venaient sur place à Carrare choisir leur marbre dans une des carrières d'altitude qui appartenaient aux Médicis. Aujourd'hui, la ville connaît une nouvelle prospérité avec l'architecture somptueuse. (A Carrare, voir le Dôme des XIe-XIVe s. et la maison où séjourna Michel-Ange. Visite de carrières dans les vallées de Colonna, Fantiscritti et Ravaggione ainsi qu'au Mont Altissimo, entre 1 200 m et 1 500 m d'altitude.) En continuant à longer la côte toscane : **Marina di Massa, Forte dei Marmi** et surtout **Viareggio** sont de bonnes stations balnéaires, bien équipées. En descendant encore, en empruntant la route (ou l'autoroute Gênes-Livourne), on arrive à **Pise** (voir p. 58) au bord de l'Arno. Deux petites stations balnéaires près de Pise : *Marina di Pisa* et *Tirrenia*.

La ville la plus importante sur cette route littorale, l'antique Via Aurelia, est **Livourne** (Livorno, 180 000 hab.), port important et ville industrielle. La ville a souffert de la Seconde Guerre mondiale. La partie la plus intéressante à visiter est regroupée autour du quartier nommé « Venezia » (Venise), avec la via Grande, le Dôme, la Piazza della Reppublica et la Piazza Micheli. Belle croisette, avec un aquarium intéressant.

Sur 100 km, entre Livourne et la pointe de Piombino, s'étend la **Riviera étrusque**, avec de belles stations balnéaires bien équipées comme *Quercianella, Castiglioncello, Marina di Cecina, Marina di Donoratico* et *San Vicenzo*. Près de San Vicenzo s'étend le **parc naturel de Rimigliano**, où toute la flore et la faune de la région sont rigoureusement protégées. Juste avant Piombino, site étrusque de **Populonia**, doté d'un musée (voir chapitre « Promenades étrusques »).

Piombino (40 000 hab.), ville industrielle et embarcadère des bateaux pour l'Île d'Elbe.

L'Île d'Elbe (Isola d'Elba), à 20 km au large de Piombino, est reliée quotidiennement au continent. Large de 10 km et montagneuse (Monte Capanne, 1 019 m), l'île était très connue dans l'Antiquité pour ses gisements de fer qui assurèrent une partie de la prospérité des Étrusques. Plus près de nous, l'Île d'Elbe a servi de terre d'exil à Napoléon Ier. Après les « Adieux de Fontainebleau » à la Grande Armée (20 avril 1814), l'Empereur déchu arriva à l'Île d'Elbe (qu'il surnomma « le royaume de Sancho Pança » et aussi « l'île du repos ») le 4 mai 1814, avec 1 200 soldats de la Garde qu'on lui avait laissés. Des menaces de déportation (et même d'assassinat) ayant été proférées contre lui au Congrès de Vienne, ainsi que le mécontentement grandissant des Français après le retour des Bourbons, incitèrent Napo-

léon à s'embarquer pour la France clandestinement. Le 26 février 1815, il quitta l'Île d'Elbe. Ce seront alors les « Cent Jours », le désastre de Waterloo (18 juin 1815) et l'exil à Ste Hélène. Du haut de *Portoferraio*, la plus grosse agglomération de l'Île d'Elbe, on voit encore la Villa dei Mulini où résida l'Empereur, transformée en musée. Dans l'autre villa de San Martino, on visitera la salle égyptienne (scènes de

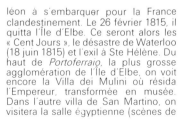

63

la campagne d'Égypte) et on y lira une inscription de la main de l'empereur, « Napoléon est heureux partout ». Aujourd'hui, l'île vit toujours du minerai de fer – exploité autrefois par les Étrusques – et aussi de la vigne, des oliviers, de la pêche au thon et à la sardine ainsi que du tourisme.

Au nord et au sud de l'île, on peut se rendre en bateau dans plusieurs petites îles comme *Gorgona* (au large de Livourne), *Capraia* et *Pianosa* (au nord et au sud de l'île d'Elbe), Monte Cristo qui inspira à Alexandre Dumas son célèbre roman.

De Piombino, on continue à descendre vers le sud de la Toscane, en épousant la côte tyrrhénienne et en passant par les stations balnéaires de Follonica, Massa Maritima, Punta Ala, Castiglione della Pescaia, Marina di Grosseto. A l'intérieur des terres : site étrusque de Vétulonia (voir chapitre « Promenades étrusques »).

On peut ensuite faire le détour par Grosseto, dans l'arrière-pays, ville au carrefour des routes menant à Livourne au nord-ouest, Sienne au nord et Rome au sud.

Grosseto (70 000 hab.). Au centre de la vieille ville, entourée de murailles du XVIe s., se trouve la Piazza Dante, avec un dôme muni du XIIIe s., une belle façade et une horloge (Musée Archéologique Étrusque).

Entre Grosseto et la presqu'île d'Orbetello s'étend le **parc naturel de l'Uccellina** (70 km²), aménagé dans les collines de l'Uccellina et la plaine côtière de la Maremme. Toute cette région est parsemée de nécropoles étrusques (voir « Promenades étrusques »).

En continuant, toujours par la via Aurelia, on passe près de Talamone, ancien port étrusque, et on atteint la **presqu'île d'Orbetello** et sa station balnéaire de San Stefano, à quelques kilomètres de la frontière de la Toscane et du Latium (la route côtière – la via Aurelia – passe ensuite à Civitavecchia et rejoint Rome).

De la presqu'île d'Orbetello, des bateaux assurent la desserte de **l'île de Giglio**, petite île granitique et calcaire. C'est un centre touristique (belle plage à Campese et hébergement dans les hôtels et pensions de Giglio Porto et de Giglio Castello) et historique (vestiges romains). Plus au sud de Giglio, l'île inhabitée de **Giannutri** (pêche).

Nombreuses excursions autour de Orbetello, en particulier dans la *Maremme* à Manciano (ville médiévale en haut d'une colline) et aux nécropoles étrusques de Saturnia et Sovana. (C'est aussi une région de vignobles qui produit des crus réputés comme le Bianco di Pitigliano et le Morellino di Scansano.)

DE FLORENCE A SIENNE

L'itinéraire de Florence à Sienne est double et traverse tous les vignobles de Chianti. On peut passer soit par Greve in Chianti (en empruntant la nationale 222, dite « Chiantigiana »), soit par Poggibonsi (en empruntant la Via Cassia, double par une autoroute).

Florence-Sienne par Poggibonsi (par la RN 2, via Cassia)

De Florence, on gagne d'abord **San Casciano Val di Pesa**, petite ville fortifiée et ancien quartier général en Italie de l'Empereur Henri VII (voir les églises et notamment Sta Maria del Prato possédant des œuvres de Simone Martini, di Neri, Cigoli, T. Gaddi et Fra Bartolomeo). Dans les environs : la villa Albergaccio à Sant'Andrea in Percussina fut la résidence d'exil de Machiavel qui y écrivit « Le Prince ».

On arrive ensuite à **Tavarnelle Val di Pesa**, centre agricole (église gothique Sta Lucia al Borghetto et ses peintures des XIVe et XVe s.), **Barberino Val d'Elsa** (palais prétorial, église St Barthélémy et chapelle St Michel, à 4 km de là, une reproduction de la coupole du Dôme de Florence à échelle réduite).

De Poggibonsi, on fera un détour vers l'ouest pour visiter **Certaldo**, ville médiévale où naquit Boccace, puis **San Gimignano** qui porte le nom de l'évêque de Modène (mort en l'an 397). Construite sur une colline, la ville a gardé son décor médiéval du XIVe siècle, époque où les grandes familles (notamment les Salvucci et les Ardinghelli) rivalisaient en se faisant construire des tours d'habitations fortifiées : la ville en conserve 14 sur les 72 qui s'y élevaient autrefois. Devenue une des premières communes en Toscane, puis gouvernée par un podestat, San Gimignano connut, comme Florence, les guerres fratricides entre Guelfes (partisans du Pape) et Gibelins (partisans de l'Empereur). Elle s'enrichit avec le travail de la laine et la teinture des étoffes ainsi qu'avec ses vins réputés (Vernaccia et Chianti). Sur la pittoresque place du Dôme, on verra le *Palais communal* (1323) surmonté de la Torre Grossa, tour de 54 m, la plus haute de la ville, car un édit du podestat interdisait qu'elle soit dépassée (à l'intérieur : fresque de la Maesta et Musée de la ville recelant des peintures de la Renaissance, en particulier une « Annonciation » de Lippi, ainsi que des vestiges archéologiques étrusques et romains). Le *Dôme* est du XIIe s. ; son intérieur a été remanié à la Renaissance par Benedetto et Giuliano da Maiano et est décoré de fresques de Ghirlandajo, en particulier la jolie *chapelle Sta Fina.* Autres peintres : Taddeo di Bartolo qui y a exécuté un magistral Jugement Dernier (1393) ; Barna, « Scènes de la vie de Jésus », fin XIVe s. ; Bartolo di Fredi, « Scènes de l'Ancien Testament » (1356) ; Benozzo Gozzoli, « Martyre de St Sébastien » ; Pollaiolo, « Couronnement de la Vierge », Renaissance. On se rendra également à l'église San Agostino pour y admirer le cycle de fresques que Ghirlandajo (1449-1494) a consacré à « la vie de Sta Fina ». Bien sûr, on ne manquera pas de voir les nombreuses tours de la ville : tours Pucci, Ardinghelli, Salvucci, ainsi que la haute « Rognosa » qui surmonte le Palais du Podestat (XIIIe s.).

Un peu plus vers le sud, la N 68 mène à **Volterra**. Ancienne « lucumonie » (une des douze villes-États de la confédération étrusque »), Volterra-Velathri est aujourd'hui une des grandes villes d'art de la Toscane. Perchée sur une colline isolée et enfermée dans des remparts monumentaux, elle a conservé un décor médiéval. Avec la montée de Rome au Ier siècle av. J.-C., Velathri fut assiégée par Sylla ; elle devint un Municipe romain et perdit son identité étrusque. Tout au long du Moyen Age, Volterra sera une grande commune indépendante (comme Pise, Sienne, Arezzo; etc.), jusqu'au moment où elle sera vassalisée par la Florence des Médicis en 1472. Sur la Piazza dei Priori se trouvent le *Palazzo Pretorio* (Palais des Prieurs, XIIIe s.) décoré d'armoiries (vue extraordinaire du haut de la tour) ; la *Cathédrale,* du XIIIe s. (œuvres de Mino da Fiesole et de della Robbia à l'intérieur) ; le *Baptistère,* du XIIIe s. (élégant portail de marbre, et à l'intérieur : fonts baptismaux de Sansovino et tabernacle de Mino da Fiesole) ; les *églises San Francesco* (chapelle peinte par Cenni

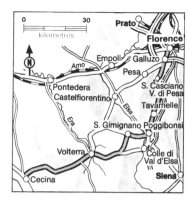

di Francesco en 1410), *San Michele* (façade de style roman-pisan), *Saint Alexandre* et *Saint Jérôme* (Annonciation de Benvenuto di Giovanni, terres cuites de della Robbia). A l'est de la ville, la forteresse des Médicis, qui sert aujourd'hui de prison.

On visitera aussi les vestiges étrusques : nécropoles, Porta dell'Arco, et surtout le Musée Guarnacci, un des plus importants en Italie pour son riche patrimoine étrusque et romain. Quant au Musée Municipal et à la Pinacothèque, installés dans le palais Minucci-Solaini, de la Renaissance, ils possèdent une belle collection d'œuvres de l'école de Sienne et de Florence (Taddeo di Bartolo, Benvenuto di Giovanni, Denato Mascagni, Baldassarre Franceschini et surtout : Luca Signorelli, « L'Annonciation », Ghirlandajo, « Le Christ en gloire », et Rosso Fiorentino, « La déposition de la Croix »).

Avant de quitter Volterra, on peut voir encore le Palais du Juge (ancienne résidence du podestat), les tours « Porcellino », Buonparenti, Bonaguidi et Toscano ainsi que les palais Viti (théâtre Persio Flacco), Inghirami (de la Renaissance) et Ruggeri. A l'ouest, la ville se termine en à-pic, en raison des éboulements de terrains – appelés les « balze » – qui ont déjà emporté une abbaye et creusé un profond escarpement.

On repart vers l'est par la N 68 et à Poggibonsi, on retrouve la route qui mène à **Sienne** (Siena, 70 km, 90 000 hab.). D'après la légende, elle aurait été fondée par Senus, le fils de Rémus. En fait, c'est une ancienne colonie militaire romaine (Sena Julia) fondée par Auguste au début de notre ère. Au XIIe siècle, elle se transforma en commune et connut une grande prospérité surtout grâce à ses banquiers qui prêtaient de l'argent au Vatican. Mais celle-ci va décliner très vite en raison des guerres incessantes qu'elle doit livrer à Florence (en 1298, la faillite des banquiers Buonsignori désorganisa son économie). Assiégée par les troupes de l'Empereur, elle perdit son indépendance en 1555 et devint la vassale de sa voisine où régnait le grand-duc de Toscane, Côme Ier de Médicis. Entourée de remparts et implantée sur trois collines d'argile rousse «terre de Sienne», elle est parcourue de petites rues étroites

1 - Piazza del Campo
2 - Palazzo Communale
3 - Loggia della Mercanzia
4 - Palazzo Sansedoni
5 - Office de tourisme
6 - Ancienne Université
7 - Bibliothèque Piccolomini
8 - Église San Martino
9 - Loge du Pape
10 - Dôme
11 - Palais épiscopal
12 - Hôpital Santa Maria della Scala
13 - Palazzo del Magnifico

14 - Palazzo Chigi-Saracini
15 - Palazzo Bonsignori
16 - Église Sant'Agostino
17 - Musée d'histoire naturelle
18 - Jardin botanique
19 - Église Santa Maria del Carmine
20 - Palazzo Pollini
21 - Fontaines Branda
22 - Église San Domenico
23 - Maison de Sainte Catherine de Sienne

24 - Musée archéologique
25 - Palais Salimbeni
26 - Forteresse des Médicis
27 - Église San Francesco
28 - Oratoire San Bernardino
29 - Église Santa Maria dei Servi
30 - Église San Giorgio
31 - Église San Spirito
32 - Fontaines di Follonica
33 - Fontaines d'Ovile
34 - Fontaines Nuova

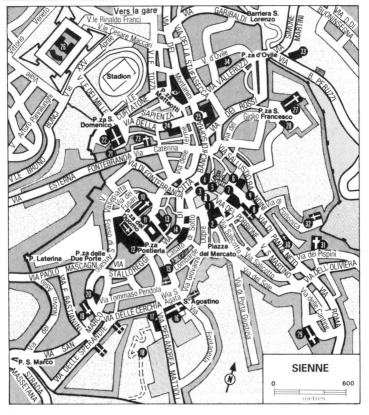

SIENNE

0   600
metres

bordées de palais. Elle est la patrie de St Bernardin et de Ste Catherine de Sienne.

Il faut aller voir la Piazza del Campo, une des plus belles places d'Italie, en forme de coquille. Là se déroule, l'été (2 juillet et 16 août), le célèbre *Palio delle Contrade*, une course de chevaux précédée de cortèges en costumes du Moyen Age qui attirent les visiteurs du monde entier.

Outre le « palio », Sienne est renommée pour ses palais surmontés de tours du Moyen Age et ses églises qui ont été décorés par la fameuse « École de Sienne » (gothique). La Piazza del Campo est dominée par le Palais public, du XIVe s., doté d'une très haute tour (la torre del Mangia) au pied de laquelle se trouve la *Cappella di Piazza* (à l'intérieur : peintures de l'École de Sienne, et notamment la « Vierge au baldaquin, Maesta » de Simone Martini (1284-1344), et les fresques d'Ambrogio Lorenzetti (1337), « Allégorie du bon et mauvais gouvernement », ainsi que des œuvres de Sano di Pietro, Taddeo di Bartolo, della Quercia, Spinello Aretino et Sodoma).

Sur la Piazza del Duomo, au sud-ouest de la Piazza del Campo, s'élève la magnifique *Cathédrale* gothique de style pisan, richement décorée d'innombrables statues et sculptures. L'intérieur, polychrome, est entièrement pavé d'une élégante marqueterie de marbres de plusieurs couleurs. Il faut voir absolument la *chaire gothique de Nicolo Pisano*, la chapelle de St Jean-Baptiste et la bibliothèque Piccolomini, toutes deux de la Renaissance. Sur la place : *l'hôpital Sta Maria della Scala* (fresques de Domenico di Bartolo dans la salle de l'Infirmerie), *le Musée de l'œuvre de la Cathédrale* (peintures de Duccio, « la Maesta » (1308), et de Matteo di Giovanni, Lorenzetti et sculptures de Giovanni Pisano), le *Baptistère* (fonts baptismaux avec des sculptures de Jacopo della Quercia, Donatello, Turino di Sano, Ghiberti). Autres curiosités : la *Pinacothèque* du palais Buonsignori (œuvres des écoles siennoise, florentine et vénitienne). Quelques églises : San

Agostino (œuvres de Simone Martini et Lorenzetti), Sta Maria dei Servi, gothique (tableaux de Memmi, Lorenzetti, Taddeo di Bartolo, Giovanni di Paolo), San Francesco, gothique (fresques de Lorenzetti), le Séminaire et son cloître (œuvres de Lorenzetti), l'oratoire San Bernardino (fresques de Sodoma), San Domenico, gothique (œuvres de Vanni, Sodoma, Benvenuto di Giovanni, etc.). Enfin, on ne quittera pas Sienne sans aller voir la Maison de Sainte Catherine de Sienne, à l'entrée de la ville (couvent et souvenirs de la Sainte).

La Nationale 2 (via Cassia) descend ensuite vers le sud-est et passe par **Buonconvento**, gros bourg entouré de fortifications du XIVe siècle, puis traverse **San Quirico d'Orcia**, dont la collégiale du XIIe siècle possède un beau portail roman. Par une vallée déserte et aride, elle arrive à **Radicofani**, située un peu à gauche de la route, à 766 m d'altitude, au pied de falaises dominées par un château fort. La route descend ensuite la vallée du Paglia et quitte la Toscane pour entrer dans le Latium.

Florence-Sienne par Greve in Chianti (par la RN 222, « la Chiantigiana »)

De Florence, on met le cap au sud, en empruntant la nationale 222, qui traverse tout le vignoble de Chianti. On passe par **Impruneta**, gros bourg agricole (église romane Sta Maria avec des œuvres de Michelozzo, della Robbia, Giambologna et Tacca. Manifestations : fête du printemps, fête des vendanges et foire de St Luc). On arrive à **Greve** où se déroule chaque année la grande foire du « Chianti Classico », en septembre (grande place centrale médiévale en forme de marché, à arcades et terrasses. Voir le château de Montefioralle appartenant au Vespucci et la prévôté Ste Croix qui recèle un triptyque de Bicci di Lorenzo)

En continuant vers le sud : **Panzano** (église romane San Leolino, avec cloître et peintures). Après Castellina in Chianti, on arrive enfin à Sienne.

DE FLORENCE A AREZZO

Une autoroute (Autostrada del Sole) relie Florence à Rome, en passant par Arezzo. Naturellement, on prendra les petites routes pour visiter tout à loisir l'est de la Toscane.

Au départ de Florence, la route nationale et la voie ferrée remontent le cours de l'Arno jusqu'à **Pontassieve**, centre industriel et commercial autrefois entouré d'un rempart, dont il ne reste que la Tour de l'Horloge et la Porte de Florence (aux environs : monastère Santa Maria, de style roman ; à Rosano, château du Trebbio du XIIIe s., abbaye de Vallombreuse, station de sport d'hiver de Consuma).

On passe ensuite par **Incisa Valdarno** (maison de Pétrarque), **Figline Valdarno**, patrie de l'humaniste Marsile Ficin (1433-1499) et gros bourg agricole entouré d'un rempart du XIVe s. (voir le palais prétorial, l'église Sta Maria et le monastère St François renfermant des œuvres du Maestro de Figline, de Giovanni del Biondo et de l'école de Botticelli).

On atteint alors **Arezzo** (87 km de Florence, 75 000 hab.) qui s'élève sur le flanc d'une colline. Il faut y voir absolument les *fresques de l'église San Francesco*, de Piero della Francesca (1405-1492), représentant « la légende de la Sainte Croix ». Autres curiosités : le Musée d'art médiéval et la Pinacothèque (fresques de Spinello Aretino et tableaux de Vasari, Signorelli, della Robbia et Rosso Fiorentino), la Maison natale du poète Pétrarque, sur la Piazza Grande où se déroule chaque été la « Joute du Sarrasin » (en costume d'époque), la Pieve di Santa Maria (église du XIIe s. avec un très haut campanile), le Dôme gothique (fresque de la Madeleine par P. della Francesca et terres cuites de Della Robbia), les églises Sta Maria in Gradi (par Ammannati), SS. Annunziata (par San Gallo) et Badia (du XIIIe s.), la Maison du peintre Giorgio Vasari et **le Musée Archéologique** (importantes collections couvrant l'âge de bronze, la période étrusque, la Rome antique).

Dans les environs d'Arezzo

Monterchi, au nord-est d'Arezzo (fresques de Piera della Francesca),

Anghiari (maisons médiévales. Ici se déroula en 1440 la célèbre bataille où les Florentins l'emportèrent sur les Milanais ; ensuite Léonard de Vinci fut chargé d'en faire une fresque pour le Palais Vecchio de Florence qui, mal heureusement, s'abîma), **Sansepolcro** ville natale de Piero della Francesca qui y a peint quelques œuvres dans l'église de la Miséricorde. La nationale 71 quitte Arezzo et la vallée de l'Arno ; elle passe devant **Castiglion Fiorentino** (château bien conservé du XIIe siècle) et arrive à **Cortone** ; la ville est située un peu à l'écart de la route nationale, à flanc de montagne. Elle est entourée d'un mur d'enceinte médiéval à soubassement d'origine étrusque. Son vieux quartier est intéressant. Sur la petite place centrale s'élèvent plusieurs palais du XIIIe siècle et le Museo Diocesano renferme plusieurs sarcophages romains. De la partie haute de la ville (650 m à peu près), on jouit d'un beau panorama sur le lac Trasimène (Hannibal y vainquit les Romains en 217 av. J.-C.) et les montagnes environnantes.

LA CIRCULATION À FLORENCE

Il y a quelques années, la circulation à Florence était parmi les plus dangereuses d'Italie. Mais en 1988, dans un concert de protestations et de récriminations, la mairie a décidé de réagir contre ce fléau en établissant une zone où l'accès automobile est limité : *la zona a traffico limitato* que les Florentins prononcent avec leur délicieux accent : ZTL. Cette zone est totalement fermée aux véhicules du lundi au samedi de 7h30 à 18h30 ; en dehors de ces heures elle reste libre d'accès. Durant l'été la restriction s'étend au vendredi, samedi et dimanche soirs. Malgré tout, l'accès aux hotels à l'arrivée et au départ reste permis. Dans ces zones de trafic limité ne circulent que les bus, les taxis et les voitures des résidents. Certaines, notamment autour de la Piazza della Signoria et du Duomo, sont même complètement piétonnes. Il faut alors faire attention aux ambulances, aux voitures de police et aux mobylettes ainsi qu'aux vélos, d'autant plus dangereux qu'ils ne font pas de bruit.

Pour ce qui est des parkings, la situation s'est améliorée depuis ces dernières années. De nombreux parcs de stationnement ont été délimités. Les plus commodes sont ceux en sous-sol au Parterre (près de la Piazza della Libertà), au Fortezza da Basso, ou encore sous la gare. Sinon il y a aussi des petits parkings , que l'on peut localiser sur le plan ci-dessous.

Si vous voulez faire quelques économies et si vous êtes armé de patience et de courage, vous pouvez tenter votre chance dans les rues entourant la ZTL. Mais attention, en vous garant sur un stationnement interdit vous risquez fort de ne plus retrouver votre voiture au retour. Dans ce cas, il ne reste plus qu'à contacter la fourrière (tél. 30 82 49).

Les bus (ATAF) et les navettes électriques sont un bon moyen pour se déplacer en ville ; on peut également les emprunter pour atteindre la périphérie. Attention, impossible d'acheter les tickets au chauffeur. Il faut se les procurer à l'ATAF, place de la gare ou dans les cafés et bureaux de tabac.

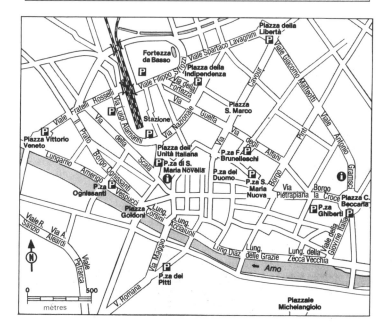

Quelques bonnes adresses à Florence

Une particularité de la capitale toscane : la numérotation des maisons. Certains numéros sont noirs et correspondent aux habitations, les autres sont rouges et signalent les commerces, notamment les hotels et restaurants. Ainsi, les numéros de nos adresses sont parfois suivi d'un petit «r», pour rouge, en référence à ce système.

Restaurants

Buca dell'Orafo, via de'Girolami 28r, tél. 055 21 36 19. Près du Ponte Vecchio. Endroit réputé, l'espace y est restreint mais l'ambiance est calme. Fréquenté par les Florentins.

Cibreo, via dei Macci 118r, tél. 055 234 11 00. À Sant Ambrogio. Original et chaleureux, c'est le temple de la nouvelle cuisine italienne.

Coco Lezzone, via del Parioncino, 26r, tél. 055 28 71 78. Non loin du Palais Rucellai. Une bonne table bien connue des Florentins. Le décor est d'origine, la cuisine traditionnelle.

Convivium, viale Europa, 4/6, tél. 055 681 17 57. Une excellente cuisine pour un prix très raisonnable.

Enoteca Pinchiorri, via Ghibellina 87, tél. 055 24 27 57. Derrière le Bargello. Mêlant tradition, raffinement et fantaisie, sa cuisine et ses vins en font le meilleur restaurant de Florence, voire d'Italie. Chic et cher.

Harry's bar, Lungo Corsini, au bord de l'Arno, près du Grand Hotel, très bonne table largement recommandée par les Florentins. Risotto, spaghetti et bonnes viandes.

Latini, via dei Palchetti 6r, tél. 055 21 09 16. Dans le centre historique. Toute la gastronomie florentine s'y trouve réunie dans une série de plats aux noms et aux saveurs inoubliables.

Le Fonticine, via Nazionale 79r, tél. 055 28 21 06. Près de la gare. Toute la gamme des spécialités toscanes authentiques.

Sabatini, via Panzani 9/A, tél. 055 528 28 02. Près de la gare. L'autre restaurant élégant de Florence (après l'Enoteca Pinchiorri), avec de bonnes spécialités et desserts.

Cafés-Pâtisseries

Gilli, piazza della Repubblica 28, tél. 055 21 38 96. Face au Giubbe Rosse. Une table classique de Florence.

Giubbe Rosse, piazza della Repubblica, 13-14. Un café historique où s'est déroulée toute la vie intellectuelle de Florence depuis le début du XXe siècle. À fréquenter au moins une fois pour l'ambiance huppée.

Rivoire, piazza della Signoria 5r, tél. 055 21 44 12. Face au palais Vecchio, ce café dispose sa terrasse sur la place dès les premiers rayons de soleil. On y déguste chocolat chaud, pralines et autres pâtisseries.

Robiglio, via dei Servi, 112r, tél. 055 21 27 84. Endroit incontournable si l'on veut goûter à la pâtisserie florentine traditionnelle et déguster un café par la même occasion.

Vivoli, via Isola delle Stinche, 7r. 055 29 23 34. Près de l'église Santa Croce (fermé en août). L'endroit est sans prétention, mais les glaces y sont délicieuses.

Quelques personnages célèbres de Florence

Alberti (Gênes 1404 - Rome 1472). D'une grande famille florentine exilée, cet architecte formé aux principes de la Renaissance a laissé des écrits, notamment son *De re aedificatoria* qui reprend les références de l'art antique, et qui par la suite marqueront des générations d'artistes. [Palais Rucellai – Façade de Santa Maria Novella].

Andrea del Sarto (Flor. 1486 - id.1530). Peintre classique de la Renaissance, influencé par Léonard de Vinci et Raphaël, il reste fidèle à l'idéal humaniste. [Palais Pitti, galerie Palatine].

Botticelli (Flor. 1444 - id.1510). Peintre célébrissime de la Renaissance florentine, il s'en démarque pourtant par un art singulier, privilégiant la ligne, les formes sinueuses et la subtilité des couleurs. Ses thèmes sont essentiellement humanistes, parfois énigmatiques comme dans son *Printemps*. [Palais des Offices].

Cimabue (Flor. 1240? - Pise 1302). Peintre appartenant aux Primitifs italiens, ses œuvres sont encore dans la tradition byzantine : grands drapés, figures statiques et solennelles. Malgré tout, il est un des premiers à y introduire du sentiment. [Palais des Offices].

Collodi (Flor. 1826 - id.1890). Journaliste et écrivain, il a dirigé plusieurs journaux satiriques, mais il est surtout célèbre pour le conte qu'il publia en 1883, *Pinocchio*.

Dante (Flor. 1265- Ravenne 1321). Écrivain, né d'une famille noble, il va jouer un rôle politique à Florence aux côtés des Guelfes blancs, mais sera condamné au bannissement au retour des Guelfes noirs. Son amour pour Béatrice va le pousser vers la poésie et la littérature, et il rédigera entre 1307 et 1321 la *Divine Comédie*. [Maison de Dante – San Lorenzo, bibliothèque Laurentienne, exemplaires de la *Divine Comédie*].

Donatello (Flor. v.1386 - id.1466). Premier grand sculpteur de la Renaissance, sa connaissance de l'art antique va l'amener à créer un art totalement nouveau. D'une sculpture de type classique il va évoluer vers une manière plus tourmentée. Ses oeuvres influenceront un grand nombre de sculpteurs.[Église Orsanmichele – Palais du Bargello].

Ghirlandaio (Flor. 1449 - id.1494). Peintre de fresque, il possède un atelier prospère. Spécialisé dans les grands cycles narratifs, il excelle dans la peinture de ses contemporains. Son art s'apparente à celui de Masaccio, mais dans un style plus anecdotique.[Santa Maria Novella – Santa Trinita].

Laurent le Magnifique (Flor. 1449 - Careggi 1492). De la lignée des Médicis, il accède au pouvoir à 21 ans. Extrêmement populaire, c'est aussi un homme cultivé, il écrit des poèmes et passe pour un grand humaniste. Il ne fut cependant pas un grand mécène et son assiduité à l'académie platonicienne était toute relative. Fin diplomate mais piètre homme d'affaire, c'est sous son gouvernement que s'amorce la chute des Médicis. [Musée Médicis, son masque mortuaire].

Machiavel (Flor. 1469- id.1527). Très impliqué dans la vie politique de Florence, il œuvre avec conviction pour sa ville. Il subit aussi les conséquences de sa charge quant en 1512 le changement de gouvernement le mène en prison puis en exil où il écrit son fameux traité politique *Le Prince*. Dédié à Laurent le Magnifique, il s'agit d'une série de conseils donnés au Prince sur l'exercice de son pouvoir. [Santa Croce, son tombeau].

Uccello (Flor. 1397 - id.1475). Comme tout peintre de la Renaissance, il se passionne pour les problèmes de perspective, mais cet intérêt devient avec lui une nouvelle façon de concevoir l'espace. Il crée un monde quasi-fantastique, car à force de mathématiser tous les éléments de la composition il en vient à modifier le réel. Voilà pourquoi il nous paraît aujourd'hui encore si moderne. [Palais des Offices].

INDEX

Florence

Badia (église de) **42**
Baptistère de St. Jean **20**
Chapelle des Médicis **25**
Église dell'Annunciata **31**
Église des Médicis **25**
Église Ognissanti **51**
Forteresse du Belvédère **38**
Galerie de l'Académie **33**
Galerie Palatine **36**
Hôpital des Innocents **32**
Jardins Boboli **38**
Loge du Bigalo **23**
Loggia dell'Orcagna **26**
Maison de Dante **42**
Maison Guidi **39**
Musée archéologique **32**
Musée de l'Argenterie **37**
Musée Bardini **40**
Musée Horne **45**
Musée Médicis **25**
Musée de Michel Ange **45**
Musée de la Porcelaine **38**
Musée Stibbert **55**
Orsan Michele (église de) **31**
Palais de l'Archevêque **24**
Palais du Bargello **42**
Palais Buontalenti **39**
Palais Castellini **30**
Palais Corsini **50**
Palais des Offices **28**
Palais Pazzi **42**
Palais Pitti **35**
Palais Rucellai **51**
Palais Salviati **42**
Palais Strozzi **50**
Palazzo Vecchio **26**
Piazzale Michel Angelo **41**
Ponte Vecchio **35**
Portes du Paradis **20**
San Ambrogio **48**
San Felice **39**
San Frediani **40**
San Gaetano **51**
San Lorenzo **24**
San Marco **33**
San Miniato **40**
Santa Croce **45**
Santa Felicita **35**
Santa Maria degli Innocenti **32**
Santa Maria del Carmine **39**

Santa Maria del Fiori **21**
Santa Maria Magdalena Pazzi **33**
Santa Maria Novella **52**
Santa Reparata **23**
Santa Trinita **49**
Santo Spirito **39**
Synagogue **48**
Torre del Gallo **41**

Toscane

Anghiari **68**
Arezzo **68**
Barberino di Mugello **55**
Carrare **62**
Certaldo **64**
Chartreuse de Galuzzo **55**
Collodi **57**
Cortone **68**
Dicomano **55**
Elbe (île d') **63**
Empoli **62**
Fiesole **55**
Firenzuola **55**
Greve **67**
Grosseto **64**
Livourne **63**
Lucques **57**
Marina di Pisa **62**
Montecatini Termes **57**
Monterchi **68**
Orbetello **64**
Panzano **67**
Pescia **57**
Piombino **63**
Pise **58**
Pistoïe **57**
Populonia **63**
Prato **53**
San Giminiano **64**
San Miniato **62**
San Piero a Grado **61**
Scarperia **55**
Sienne **65**
Trasimène (lac de) **68**
Vaglia **55**
Vicchio **55**
Vinci **62**
Volterra **64**